114 Strategie del Tennis, Tattiche Mentali, ed Esercizi

Migliora il tuo gioco in 10 giorni

di Joseph Correa

"Ulteriori informazioni su come scoprire le abilità mentali e fisiche che non avresti mai pensato di avere."

COPYRIGHT

INTRODUZIONE

La strategia gioca un ruolo importante nel tennis competitivo e saper applicare tali strategie possono aiutare a vincere più partite contro avversari difficili.

Queste strategie vi permetteranno di fare tre cose:

1 Prepararsi per uno stile specifico del giocatore.

2 Imparerai che le strategie preparate precedentemente possono essere utilizzate per competere in modo più efficace.

3 Come eseguire queste strategie basandoti sul tuo stile di gioco.

Questo playbook di strategie del tennis è tascabile e dovrebbe essere tenuto nello zaino da tennis o dove è più semplice leggerlo per tenervi pronti ad applicare sempre le strategie più utili per quella partita

Gli allenamenti di tennis avanzato sono divertenti ed emozionanti per i giocatori che li seguono. A volte potrebbe diventare difficile completare alcuni punti, ma non farci caso. Continua a lavorare duro e alla fine otterrai il massimo. Questo insolito tipo di formazione ti aiuterà a migliorare il tuo controllo generale delle palle alte, palle basse, alti topspin, bassi slice, palle piane o con un minimo topspin. Potrai anche migliorare la tua capacità di dirigere la palla in punti specifici sul campo, nonché diventare molto più forte. Una volta completato questo corso ti sentirai più completo come giocatore di tennis e farai lavorare i tuoi avversari molto più di prima.

Se sei un principiante o di livello intermedio, è possibile eseguire questi esercizi in quanto ti possono solo far diventare migliore di quanto tu lo sia ora, ma dovrai impegnarti molto per ottenere risultati importanti.

E' stato tutto scritto per la mano destra, ma se sei mancino dovrai semplicemente eseguirli al contrario. Ciò è stato fatto per semplificare le cose, ma vale per entrambi i giocatori sia destri che mancini.

CENNI SULL'AUTORE

Ciao, il mio nome è Joseph Correa e sono un allenatore ed insegnante di tennis da oltre 15 anni. Ho giocato a tennis professionale per anni e ora sono un allenatore professionista certificato USPTR.

Dopo anni di competizione e di formazione con alcuni dei migliori al mondo ho imparato che la maggior parte delle persone possono arrivare al successo con il giusto allenamento mentale, fisico, emotivo.

Tecniche scientifiche collaudate, allenamenti, e passo dopo passo le fasi devono essere eseguite per raggiungere la vetta e per questo motivo ho preparato il primo gruppo di allenamento in DVD e i libri che ti mostrano come raggiungere i tuoi obiettivi.

Attraverso i miei strumenti di lavoro e di insegnamento, ho aiutato centinaia di giocatori amatoriali e professionisti del tennis per farli progredire nelle loro performance fisiche e mentali per ottenere grandi risultati.

Io ti insegno tutto quello che è necessario per raggiungere i tuoi obiettivi e spero potrei goderne e condividere queste lezioni ed idee con i propri cari. Per saperne di più sulle diverse lezioni insegnate attraverso i miei libri e DVD vai su www.tennisvideostore.com. Molti altri libri usciranno quest'anno con alcuni esercizi e tecniche avanzate.

INDICE DEI CONTENUTI

CAPITOLO 3: RIGUARDO INUSUALI STILI DI GIOCO

CAPITOLO 4: STRATEGIE MENTALI

24. Come dominare lo stress durante un match

25. Come rimanere concentrati fino alla fine

26. Cosa pensare durante un change-over

27. A cosa pensare prima di un match

28. A cosa pensare durante la notte che precede l'incontro

29. Cosa fare quando stai perdendo di un set

30. Cosa fare quando sei in vantaggio di un set

31. Cosa fare quando sei ad un match point

32. Cosa fare dopo un doppio errore di servizio

CAPITOLO 5: TATTICHE MENTALI

33. Conosci il tuo avversario

34. La partita finisce, quando finisce

35. Preparati al successo

36. Mantieni una faccia da poker

37. Nascondi le tue debolezze, e sfrutta le loro

38. Colui che riceve l'ultima palla, vince

39. Sii fedele a te stesso

40.Chi colpisce per primo, colpisce due volte

41.Sii un baro per vincere

42.Abbatti il muro

43.Impara da tutte le partite

44.Acquisire conoscenze

45.Conosci le tue regole

46.Costruisci la tua scacchiera

47.Trova lo schema

48.Scacco matto al Re

49.Costruisci una base

50.Non essere banale

51.La mente al di sopra di tutto

52.Regala solo per I compleanni

53.Cuor di leone

54.Scegli la tua arma

55.La perfezione attraverso l'imitazione

56.Il quadrifoglio

57.Umorismo ai coraggiosi

58.Vai dov'è la festa

59.Piccoli passi da gigante

60.Il secondo servizio: puoi eseguirlo bene

CAPITOLO 6: ALIMENTARE GLI ALLENAMENTI

1. Colpendo sopra la corda con un diritto in diagonale

2. Colpendo oltre la corda con un rovescio diagonale

3. Colpendo oltre la corda con un diritto a fondo campo

4. Colpendo oltre la corda un rovescio a fondo campo

5. Colpendo oltre la corda alternando diritto e rovescio in diagonale

6. Colpendo oltre la corda alternando diritto e rovescio a fondo campo

7. Colpendo sotto la corda con diritti in diagonale

8. Colpendo sotto la corda con rovesci in diagonale

9. Colpendo sotto la corda con diritti a fondo campo

10. Colpendo sotto la corda con rovesci a fondo campo

11. Colpendo sotto la corda alternando diritti e rovesci in diagonale

12. Colpendo sotto la corda alternando diritti e rovesci a fondo campo

CAPITOLO 7: ESERCIZI DAL VIVO
ALLENAMENTI OLTRE LA CORDA

13. Oltre la corda palleggiare 20 palle da topspin diritto a diritto a fondo campo (resistenza)

14. Oltre la corda palleggiare 20 palle da topspin rovescio a rovescio a fondo campo (resistenza)

15. Oltre la corda palleggiare 20 palle da topspin diritto a rovescio a fondo campo (resistenza)

16. Oltre la corda palleggiare 20 palle da topspin rovescio a diritto a fondo campo (resistenza)

17. Oltre la corda palleggiare 20 palle con una persona che colpisce solo diagonali e l'altro solo fondi campo (figura 8 resistenza)

18. Oltre la corda colpire 20 palle con una persona che esegue solo a fondo campo e l'altra che colpisce solo palle diagonali (figura 8 resistenza)

ALLENAMENTI SOTTO LA CORDA

19. Sotto la corda palleggiare 20 palle con diritti in diagonale e diritti

20. Sotto la corda palleggiare 20 palle con rovescio diagonale e rovescio

21. Sotto la corda palleggiare 20 palle con diritti a fondo campo e rovesci

22. Sotto la corda palleggiare 20 palle con rovesci a fondo campo e diritti

23. Sotto la corda palleggiare 20 palle con slice diagonale e rovescio

24. Sotto la corda colpire 20 palle con una persona che esegue colpi diagonali e l'altra che colpisce solo a fondo campo come da figura 8

25. Sotto la corda colpire 20 palle con una persona che esegue solo colpi a fondo campo e l'altra che colpisce in diagonale come da figura 8

ALLENAMENTI SOPRA E SOTTO LA CORDA

26. Una persona colpisce diritti sopra la corda con topspin e l'altra colpisce diritti a fondo campo sotto la corda.

27. Una persona colpisce rovesci oltre la corda con topspin e l'altra esegue rovesci sotto la corda a fondo campo

28. Una persona colpisce diritti sopra la corda con topspin e l'altra esegue rovesci a fondo campo sotto la corda

29. Una persona colpisce rovesci con topspin sopra la rete e l'altra esegue diritti a fondo campo sotto la corda

30. Una persona colpisce rovesci con topspin oltre la corda mentre l'altra esegue slice rovesci a fondo campo sotto la corda.

31. Una persona colpisce diritti con topspin oltre la corda mentre l'altra esegue diritti in diagonale sotto la corda dentro e fuori

CAPITOLO 8: ALLENAMENTO A PUNTI

32. Fino a 10 punti sopra la corda senza servire

33. Fino a 10 punti solo sotto la corda senza servizio

34. Fino a 10 punti dove una persona può solamente colpire sopra la corda mentre l'altra può colpire solamente sotto la corda senza servire

35. Fino a 10 punti (con servizio) sopra la corda (servire sempre al di sotto della corda a meno che non si stia eseguendo un topspin o un servizio in kick)

36. Fino a 10 punti (con servizio) sotto la corda (servire sempre al di sotto della corda a meno che non si stia eseguendo un topspin o un servizio in kick)

CAPITOLO 9: ESERCITAZIONE CON PUNTI NORMALI SENZA LA CORDA

37. Raggiungi I 10 punti senza servire eseguendo solo diritti in diagonale

38. Raggiungi I 10 punti senza servire eseguendo solo rovesci in diagonale

39. Raggiungi I 10 punti senza servire eseguendo solo rovesci verso diritti lungo la linea

40. Raggiungi I 10 punti senza servire eseguendo solo diritti verso rovesci lungo la linea

41. Raggiungi I 10 punti servendo solamente diritti in diagonale

42. Raggiungi I 10 punti servendo solo rovesci in diagonale

43. Raggiungi I 10 punti servendo solo rovesci lungo la linea verso diritti

44. Raggiungi I 10 punti servendo solo diritti lungo la linea verso rovesci

45. Raggiungi I 10 punti dove una persona può tirare solo colpi in diagonale e l'altra solo colpi lungo la linea senza servizio

46. Raggiungi I 10 punti dove una persona può tirare solo colpi lungo la linea e l'altra solo colpi in diagonale senza servizio

47. Raggiungi I 10 punti dove una persona può tirare solo colpi in diagonale e l'altra solo colpi lungo la linea con servizio

48. Raggiungi I 10 punti dove una persona può tirare solo colpi lungo la linea e l'altra solo colpi in diagonale con servizio

49. Raggiungi I 10 punti senza servizio. Concludi punti normali senza nessuno schema.

50. Raggiungi I 10 punti con servizio. Concludi punti normali senza nessuno schema.

51. Gioca un set completo servendo solo in diagonale mentre il tuo partner colpisce solo lungo la linea.

52. Gioca un set completo servendo solo lungo la linea mentre il tuo partner colpisce solo in diagonale.

53. Gioca un set completo utilizzando lo schema che più desideri.

54. Gioca una partita completo utilizzando lo schema che più desideri.

ALTRI TITOLI DI JOSEPH CORREA

MATERIALI NECESSARI ED ATTREZZATURA

Hai bisogno di:

1 Campo da Tennis

1 una corda lunga abbastanza da arrivare da una parte all'altra del campo.

Qualcuno che ti passi le palle e qualcuno che te le colpisca indietro per quella parte della formazione.

Attrezzature:

Misura circa 2-3 metri dall'altezza della rete in modo da legare la corda a questa altezza su entrambi i lati della barricata (o puoi usare un altro oggetto per legarla). Prendi un righello e misura 2 metri sopra l'altezza della rete per un livello avanzato o 3 piedi per una difficoltà normale.

CAPITOLO 1: RIGUARDO GLI STILI BASE DI GIOCO

Strategia #1

Come sconfiggere un baseliner

PROBLEMA:

Un buon baseliner si trova meglio sulla linea di fondo e preferirebbe non andare a rete. Per questo motivo, la miglior strategia sarebbe quella di portare il baseliner vicino alla rete con colpi difensivi che lo porteranno nella situazione peggiore e probabilmente lo porteranno a perdere una semplice volée.

SOLUZIONE:

Uno dei modi migliori per sconfiggere un baseliner è quello di portarlo in rete colpendo uno di questi tiri: uno slice corto, un colpo smorzato, un breve topspin, un angolo corto.

Se si colpisce uno slice corto, il baseliner sarà tentato di entrare in rete e se il tiro è molto corto, dovrebbe trovarsi costretto a lasciare la linea di fondo e farsi avanti per una volée o un tiro sopra la testa.

Se si colpisce un colpo smorzato, si sarà sicuramente in grado di portare l'avversario in rete in quanto non avrà altra scelta che fare un passo ed avvicinarsi all'area di servizio della rete.

Se si colpisce un breve colpo di topspin, il baseliner non sarà costretto a entrare in rete, ma se non lo fa, sarà in una posizione molto scomoda sul campo. È possibile usufruire del suo cattivo posizionamento semplicemente colpendo la palla mandandola dietro di lui.

Se si colpisce un angolo corto, non solo il baseliner sarà fuori dalla linea di base, ma anche un po' fuori dal campo di gioco, e lo metterebbe in una posizione molto scomoda, se non cercherà di coprire il campo entrando in rete.

Se si dispone di un buon servizio, applicare la tecnica del serve&volley lo faranno precipitare in rete semplicemente sorprendendolo ed ottenendo alcuni errori gratuiti di tanto in tanto.

Strategia #2

Cosa fare contro un net-rusher

PROBLEMA:

Il giocatore che ama attaccare a rete è sempre pronto ad andare avanti soprattutto sul secondo servizio, i colpi deboli e le palle corte. I suoi colpi migliori sono di norma le volée e i colpi sopra la testa. Corrono a rete dopo aver servito. Vincono la maggior parte dei punti mettendo pressione a rete costringendo l'avversario a commettere errori o prendere decisioni sbagliate.

SOLUZIONE:

La miglior soluzione è quella di mantenere semplicemente il giocatore sulla linea di fondo colpendo il primo servizio, anche se questo significa togliere un po' di potenza e cercare di posizionare la palla. Inoltre, si dovranno eseguire topspin e colpi in diagonale per mantenere il net-rusher fuori dal campo e lontano dalla rete. Se il net-rusher ha raggiunto la rete è necessario pensare di:

1. Passare oltre colpendo verso il basso.

2. Passare oltre colpendo in diagonale.

3. Passare oltre colpendo un angolo corto.

4. Tirare un pallonetto oltre l'avversario, con un diritto, un topspin oppure un breve slice.

5. Tirargli la palla direttamente addosso per prenderlo alla sprovvista e rallentarlo.

Strategia #3

Come battere un counter-puncher

PROBLEMA:

Il counter-puncher non è solito prendere l'iniziativa durante il gioco. E' quel tipo di giocatore che solitamente aspetta che sia tu a prendere l'iniziativa per poi far fuori il tuo colpo. Se punti la rete ti passerà oltre. Se attacchi colpendo più duro utilizzerà la tua forza per giocare a campo aperto. Questo tipo di giocatore è un grosso guaio quando non si sa bene come affrontarlo. Più duramente e velocemente giocherai, meglio sarà per lui, se non disponi di una strategia rapida.

SOLUZIONE:

Per battere il counter-puncher è necessario capire che la maggior parte del tempo che si dedica all'attacco, è fondamentale assicurarsi di avere uno schema preimpostato che si può mettere in pratica durante il punto. Alcuni esempi possono essere:

- Eseguire un servizio ampio e poi colpire a campo aperto.

- Colpire a campo aperto e poi seguire il tuo colpo in rete per mettere più pressione sul tuo avversario e chiudere il punto.

- Colpire una palla corta e costringerlo a prendere l'iniziativa entrando in rete.

Strategia #4

Come battere un giocatore che utilizza il serve&volley

PROBLEMA:

I giocatori di serve&volley sono veloci e decisivi. Non tentennano quando hanno la possibilità di concludere il punto. Essi eseguiranno un servizio potente oppure di spin e poi andranno subito a rete.

SOLUZIONE:

La migliore strategia contro questo stile di gioco è quello di rallentarli o fermarli mentre stanno andando in rete. I tre modi migliori per rallentarli e fare in modo che commettano molti errori sono:

1. Restituisci il loro servizio facendo arrivare la palla ai loro piedi, costringendoli a compiere una mezza volée.

2. Rispondi al servizio tirandogli la palla addosso, così dovranno spostarsi fuori dalla zona di volée. Non è certo un bel modo per rallentarli, ma è efficace ed è un ottimo strumento se non si hanno altre opzioni.

3. Fai un pallonetto. Rispondi tirando semplicemente la palla alta e profonda e dopo dovresti fare qualche passo indietro nel caso in cui decidesse di colpire duramente da

sopra la testa in aria, come molti cercherebbero di fare. Se colpirai un pallonetto abbastanza alto, l'avversario dovrà colpire con forza al momento giusto, che non è sempre facile quando c'è vento, pioggia, a metà giornata e il sole abbaglia gli occhi o di notte, quando le distanze sono più difficili da distinguere.

Strategia #5

Come far fuori il giocatore a tutto campo

PROBLEMA:

Il giocatore a tutto campo è in grado di fare tutto. Serve&volley, counter-puncher, attaccare e correre in rete, essere paziente e coerente anche nelle retrovie. Ogni giocatore cerca sempre di fare pratica e lavorare duramente per diventare un giocatore a tutto campo, che non ha nessuna debolezza evidente che renderebbe più facile l'attacco da parte dell'avversario.

SOLUZIONE:

Il giocatore a tutto campo di solito è bravo in tutto, ma non significa che non abbia punti deboli. E' meglio concentrarsi su ciò che fa peggio e aggiustare la partita in modo da eseguire quello che sai fare meglio.

Per esempio: se ha un rovescio debole e tu dispone di un forte dritto, dovresti servirgli un rovescio e poi correre verso il tuo rovescio come per colpire un dritto. Continua facendo pressione colpendo un rovescio fino a quando avrai la possibilità di andare a rete e di colpire la palla. In questo modo lo costringerai a giocare secondo il tuo stile di gioco più efficace, contro il suo colpo più debole. Un' altra buona strategia sarebbe quella di attaccare la rete sul suo lato più debole e costringerlo a commettere errori in questo modo.

Strategia #6

Come sopraffare chi usa I pallonetti

PROBLEMA:

Una partita contro un giocatore che ama eseguire pallonetti o mandare le palline sulla luna più e più volte può essere molto difficile da sostenere e può farti perdere la pazienza. Si vorrebbe attaccare ma egli semplicemente rallenta il tutto con i suoi pallonetti. Quando si desidera entrare in rete sai che stai andando ad eseguire un colpo sopra la testa.

SOLUZIONE:

Non si vorrebbe mai perdere una partita perché si stanno eseguendo percentuali molto basse, mentre il tuo avversario sta colpendo colpi con alte percentuali, come i pallonetti. Il piano migliore sarebbe quello di farlo uscire dalla sua zona di comfort e costringerlo a colpire pallonetti da pessime posizioni in campo, o in zone dove non può eseguire pallonetti. Eseguendo i colpi angolati bassi si costringerà il pallonettista ad uscire dal campo di gioco posteriormente ed ai lati e questo rende l'esecuzione di un pallonetto molto più complicata perché la distanza dalla zona di difesa è breve come se fosse dietro la linea di fondo. Un altro modo per tenere questo tipo di giocatore fuori dallo schema di gioco del pallonetto è quello di colpire semplicemente una palla corta o drop shot per portarli in rete. Lì potrà eseguire una volée o colpire un overhead, ma non fare pallonetti! Un altro modo efficace per battere l'avversario è quello di colpire palle brevi e basse in quanto è molto più difficile eseguire un pallonetto decente dopo un colpo così, dopodiché si può semplicemente colpire dietro di lui dopo che ci ti avrà restituito un pallonetto non tanto buono. L'ultima opzione che hai contro i pallonetti è quella di colpire la palla in aria in modo da non farla rimbalzare. Questo può essere molto efficace se si sta in piedi all'interno della linea di base e se ci si sente a proprio agio a far oscillare la pallina in aria.

Strategia #7

Come battere un pusher

PROBLEMA:

Il "Pusher" o giocatore costante di solito non attacca affatto durante la partita, e vince un sacco di volte. Non commette molti errori e non colpisce i vincitori. Si aspetta che sia tu a commettere gli errori, e questo ti crea tensione.

SOLUZIONE:

Il "Pusher" di solito deve essere costretto a fare errori. Uno dei modi migliori per fare in modo che commetta errori è portandolo alla rete con un tiro a goccia o con una palla corta, e poi semplicemente fargli eseguire una volée o un colpo alto che di solito è quello che gli riesce peggio dal momento che spende così tanto tempo sulla zona di difesa, mantenendo la palla sempre in gioco. Se sei in grado di fare un buon gioco a rete, dovresti attaccare a rete con colpi veloci e bassi, costringendolo a rischiare di più andando ad eseguire un colpo di passaggio o un pallonetto. Entrambe le strategie sono efficaci contro questo stile di gioco.

CAPITOLO 2: RIGUARDO UNO STILE AVANZATO DI GIOCO

Strategia #8

Cosa puoi fare contro un giocatore molto forte nel topspin

PROBLEMA:

Il Topspin duro sta diventando sempre più popolare nel gioco contemporaneo. Di solito la pallina rimbalza velocemente e in alto rendendo difficile attaccare o entrare in rete. Sarai costretto ad indietreggiare oppure avanzare per colpire la palla.

SOLUZIONE:

Puoi fare diverse cose per contrattaccare una palla in topspin. 1 Puoi semplicemente fare un passo indietro e lasciare che la palla scenda per avere una posizione comoda per colpire. In questo modo non stai colpendo da una posizione al pari o superiore alla tua altezza, che è un colpo molto più difficile da eseguire per la maggior parte delle persone. 2 È possibile colpire la palla quando sta salendo, ma prima che diventi troppo alta e corri verso il campo, mentre lo fai. Per eseguire questo colpo, devi avere una certa abilità a schiacciare la palla, ma può essere gratificante se è possibile fare in modo che il tuo avversario sia precipitoso, con te che rispondi con colpi rapidi in aumento.

Strategia #9

Come avere la meglio su un giocatore che esegue solo slice

PROBLEMA:

Alcuni giocatori di tennis colpiscono solo colpi slice, o perché portano facilmente al successo del gioco, oppure perché non sono in grado di eseguire altri tipi di colpo. La palla rimane bassa e corta rendendo difficili gli attacchi o mettere a segno un colpo vincente.

SOLUZIONE:

Essere pazienti, con questo tipo di giocatore, nel lungo periodo ripaga. La chiave non è quella di colpire su quelle slide basse. Devi cercare di ottenere un tiro basso e muoverti in avanti. Il modo migliore per far perdere il tuo avversario è quello di indurlo alla fuga e chiudere il punto dalla rete, quando farà di nuovo uno slide o confonderlo sulle altezze. Confondere le altezze fondamentalmente significa colpire un topspin basso e poi un topspin alto e continuando a seguire questo modello fino a quando l'avversario non troverà più l'angolo giusto della racchetta, costringendolo a colpire troppo basso a rete o troppo alto e fuori.

Strategia #10

Come ricevere un grande servizio

PROBLEMA:

I giocatori che utilizzano grandi servizi sono avversari difficili a causa della velocità con cui la pallina arriva verso di te. La palla arriverà forte e veloce, senza molto preavviso.

SOLUZIONE:

Oscillare leggermente indietro e muovere i piedi prima che la palla arrivi. Inizia a saltellare con i piedi quando l'avversario colpirà la palla per migliorare il tuo tempo di reazione. Il segreto per rispondere ad un servizio veloce non è quello di colpire ancora più forte. Devi imparare a usare il potere del tuo avversario, semplicemente restituendo una palla ben piazzata. Un sacco di volte avrai notato che non è necessario colpire la palla più forte per essere un buon ricevitore e questa è la cosa più importante da ricordare. Muovi i piedi, tieni gli occhi sulla palla, fai una breve oscillazione indietro, e muoviti in avanti per colpire la palla ed ottenere il punto con questo colpo.

Strategia #11

Come contrastare una palla corta

PROBLEMA:

Le palle corte sono grandi armi perché non richiedono particolare forza. E' un colpo di finezza o anche conosciuto come un colpo di tocco. Le palle corte sono altrettanto preziosi come rispondere ad un colpo vincente o un overhead. Ricorda che la distanza tra un lato e l'altro del campo è inferiore alla distanza spostandosi in avanti in rete. Quando esegui un drop shot effettivamente fai percorrere al tuo avversario una distanza maggiore.

SOLUZIONE:

Il colpo migliore contro un drop shot è semplicemente quello di restituire un'altra palla corta. In questo modo hai meno possibilità di fare passaggi, pallonetti o di sbagliare. Se riesci ad eseguire bene questo colpo, farai stancare l'avversario che dovrà correre in avanti per un colpo inaspettato. Il secondo colpo si può attuare contro un drop shot è un lancio profondo sulla fascia più debole del tuo avversario e poi semplicemente aspettare e colpire una volée o un overhead. Per ridurre la quantità di palle corte eseguiti dal tuo avversario nei tuoi confronti, è possibile colpire la pallina forte e lontana o tenere la palla molto alta e lunga. In questo modo sarà molto più difficile per lui colpire un drop shot.

Strategia #12

Come superare il corridore

PROBLEMA:

I corridori sono avversari difficili, perché normalmente non si arrendono e riescono a rimettere molte palle in gioco. Alcuni giocatori vincono le partite per pura velocità. Essi inseguono palla dopo palla fino a quando i loro avversari finiscono per esagerare e infine perdere.

SOLUZIONE:

I corridori hanno sempre un colpo più debole. Potrebbe essere il loro rovescio, diritto, servizio, volée, o overhead. Trova il loro colpo più debole e iniziare ad attaccare quel colpo invece di cercare colpi vincenti. Devi capire che la sua forza più grande è la sua velocità in modo da poterti concentrare su ciò che sa fare peggio, anche se questo significa non eseguire colpi puliti. Devi essere paziente e permettergli di fare gli errori con il suo colpo più debole. Devi insistere ed essere persistente fino a quando inizierà a commettere errori con quel colpo e dopo non scostarti dal piano. Sarai tentato di chiudere il punto, ma vale sempre la pena di attenersi al piano stabilito invece di permettere che il tuo avversario faccia quello che sa fare meglio, che è correre dietro alle palle. Per battere questo tipi di giocatore devi attaccare le sue debolezze, non la sua velocità perché avresti difficoltà a batterla. Attieniti al piano stabilito e sii persistente.

Strategia #13

Come annientare un grande diritto

PROBLEMA:

I giocatori con grandi o potenti diritti sono comuni nel tennis, così come chiunque deve avere un'arma per segnare i punti, e il più delle volte, i loro diritti sono i colpi più forti. Nel gioco di oggi avere a disposizione potenti diritti è diventata una necessità per vincere più punti perché i giocatori diventano sempre più veloci e più forti e quindi la pallina ha bisogno di essere più veloce e più difficile da ribattere, se si desidera dominare il gioco.

SOLUZIONE:

Il giocatore dai grandi diritti è bravo, purché riesca a colpire la pallina nella sua zona di forza, ovvero tra le ginocchia e l'altezza della spalla. Se si riesce a farlo colpire sotto l'altezza delle ginocchia e sopra l'altezza delle spalle, è probabile che il suo diritto non sia poi così splendido. Prova a rilanciare slide bassi in risposta al suo diritto, o alti topspin per ridurre la quantità di energia che può generare con quel tiro.

Strategia #14

Come avere la meglio su un grande battitore

PROBLEMA:

I grandi battitori riescono a sopraffare i loro avversari da entrambi i lati e spesso iniziano a fare punti con un servizio folgorante. Vincono punti semplicemente colpendo più duramente degli altri.

SOLUZIONE:

Hai bisogno di rallentare un grande battitore con alcuni colpi smorza-velocità come: slide lenti, slide laterali, alti topspin, palle in profondità, palle corte e angoli brevi. I grandi battitori odiano i cambiamenti nella velocità di palla perché li costringe a dover regolare la profondità, l'altezza e la velocità della palla. Dopo un po' tutti questi cambiamenti di velocità, rotazione, e d'altezza faranno perdere o rallentare i grandi battitori per cercare di ridurre gli errori. Quando ti accorgerai di averli tenuti fuori dal loro piano di gioco, potrai iniziare a mettere a segno più punti.

CAPITOLO 3: RIGUARDO INUSUALI STILI DI GIOCO

Strategia #15

Come battere l'"urlatore"

PROBLEMA:

L' "urlatore" può essere rumoroso e fastidioso. Geme ogni volta che colpisce la palla e aumenterà il volume del grugnito a seconda della lunghezza del punto, l'importanza del punto, o in base alla stanchezza.

SOLUZIONE:

Concentrati sugli aspetti più importanti del tuo gioco come la respirazione e il gioco di gambe. Concentrarsi troppo su ciò che il tuo avversario sta facendo ti distrarrà e non ti permetterà di giocare una buona partita. Trova le cose sulle quali riesci a concentrarti nel bel mezzo di un punto, come: fissare le corde, allacciarti le stringhe delle scarpe se sono sciolte o allentate, passarti la spugna quando sei sudato. Se ti distrae troppo, semplicemente grugnisci anche tu.

Strategia #16

Come battere un giocatore che perde tempo sul campo

PROBLEMA:

I giocatori che rallentano il gioco intenzionalmente tra il punto ed il change-over, stanno cercando di controllare il ritmo della partita. Alcuni giocatori devono giocare velocemente al fine di mantenere un ritmo a loro congeniale, mentre ad altri non importa di giocare più lentamente. Rallentare una partita quando si sta perdendo è una grande strategia perchè ti dà più tempo per correggere eventuali errori e tornare in pista. Quando qualcuno fa questo tipo di gioco, per te potrebbe essere difficile trovare un nuovo equilibrio.

SOLUZIONE:

Concentrati su ciò che devi fare. Non cadere nella loro trappola rallentando la partita. Tieniti pronto in ogni momento e dimostra loro che sei sempre pronto a correre.

Strategia #17

Come superare un giocatore veloce

PROBLEMA:

Alcuni giocatori amano correre per fare punti, non permettendo agli avversari di prendere il loro tempo e pensare e questo ti può far commettere tanti errori se non sei abituato ad essere veloce. Di solito prendono brevissime pause per l'acqua e sono sempre pronti a servire prima che tu arrivi alla linea di base per rispondere al servizio.

SOLUZIONE:

Quando qualcuno è costantemente di corsa durante il gioco, il piano migliore è quello di rallentare semplicemente le cose fino al ritmo per te congeniale, dove non commetterai errori dovuti alla fretta. Alcuni dei modi migliori per raggiungere questo obiettivo sono:

- Asciugarsi, bere acqua e respirare lentamente durante il change-over.

- Mettere il tuo asciugamano sulla recinzione posteriore o laterale in modo da dover camminare per tamponarti con l'asciugamano e rallentare il gioco.

- Legare le stringhe delle scarpe prima di servire o prima di restituire un servizio.

- Fissare le corde della racchetta prima di servire o prima di restituire un servizio.

Strategia #18

Come battere il favorito del pubblico

PROBLEMA:

I giocatori beniamini del pubblico possono avere un bel vantaggio durante punti. Alcuni ammiratori e membri della famiglia possono tifare in modo molto forte e intenso, rendendo difficile per chiunque concentrarsi sulla partita. Loro applaudono quando tu perdi un punto. Applaudono durante punti importanti e nel bel mezzo del match.

SOLUZIONE:

I giocatori preferiti dal pubblico sono avversari difficili, quando sono vincenti, ma quando stanno perdendo le cose si fanno abbastanza semplici. Concentrati per iniziare la partita da vincente e per rimanere al top. Più grande è il vantaggio che avrai, meno rumore si sentirà dalla folla. Alcuni dei loro fans, familiari e altre persone lasceranno semplicemente la partita, e questo significherà meno distrazione per te e risultati migliori. Se sei il tipo di giocatore che in realtà gode ad avere una folla contro, per entrare meglio in competizione, allora io consiglierei comunque di iniziare a vincere e continuare a rimanere in vantaggio fino alla fine della partita. I giocatori vengono incitati dalla folla soltanto se sono vincenti o se hanno qualche possibilità di vincere, ma se puoi dimostrare che non hanno alcuna possibilità, la partita sarà semplice.

Strategia #19

Come contrastare gli angoli morbidi

PROBLEMA:

Gli angoli morbidi sono grandi armi da utilizzare, perché costringono i giocatori a scendere dalla linea di base sulle fasce anteriori e laterali. Questo apre tutto il campo al tuo avversario e praticamente gli permette quasi di avere il pieno controllo del punto.

SOLUZIONE:

Il modo migliore per contrastare un tiro angolato morbido è quello di fare una delle tre cose:

- Segui la palla in rete e taglia l'angolo che è stato appena creato.

- Restituisci un altro angolo incrociato facendo un passo indietro verso il centro del campo.

- Colpisci un drop shot proprio di fronte a te per portare l'avversario a rete e poi coprire la metà del campo per bloccare ogni possibilità di eseguire un passaggio.

Strategia #20

Come contrastare I tiri alti e profondi

PROBLEMA:

I colpi alti e profondi, se fatti costantemente, causeranno molti errori alla maggior parte dei giocatori di tennis. In sostanza ti spingono fin dietro alla linea di base e ti costringono a colpire indietreggiando, riducendo la quantità di potenza che potresti generare con il colpo successivo. Spesso sono generati con o senza topspin; rappresentano ancora una minaccia e richiedono un buon contropiede.

SOLUZIONE:

I colpi alti e profondi possono essere contrastati in molti modi.

- Si può fare un passo indietro e restituire un altro tiro alto e profondo e vedere come il tuo avversario reagisce.

- Si può colpire in risalita, non appena la palla rimbalza.

- È possibile tagliare la palla restituendola bassa e corta.

Oltre a contrastare i colpi alti e profondi, si può anche impedire all'avversario di eseguire questo tipo di tiro:

- Colpire slide bassi o topspin con colpi angolati.

- Lanciare la palla in aria colpendo una volée oppure una volée con swing al fine di lanciare la palla con una profonda discesa.

- Tagliare la palla con colpi bassi e brevi che costringono l'avversario ad entrare in campo e quindi per lui sarà molto più difficile eseguire un altro tiro preciso alto e profondo.

Strategia #21

Come avere la meglio su rovesci alti

PROBLEMA:

I rovesci alti sono uno dei colpi più fastidiosi per la maggior parte dei giocatori, soprattutto se si dispone di un rovescio con una mano sola. Questi tiri richiedono più forza per riportare la palla in campo e normalmente un rovescio non è il modo migliore per rispondere ai tiri alti.

SOLUZIONE:

È possibile superare i rovesci alti in tre modi:

1 Puoi girare attorno al rovescio e colpire un diritto.

2 Puoi colpire un rovescio prima che diventi troppo alto.

3 Puoi fare un passo indietro, quanto basta, per colpire di nuovo con una media altezza o un rovescio basso.

Strategia #22

Come battere il giocatore scrap-shot

PROBLEMA:

I giocatori scrap-shot colpiscono palle non convenzionali con spin difficili e di solito non con buona tecnica ma mantengono la palla in gioco e non rendono facile l'attacco ai loro colpi. Alcune tipologie di tiro sono: slice, slice laterali, topspin laterali, palle altissime, palle corte che rimbalzano e ritornano in rete e colpi con tocco morbido.

SOLUZIONE:

Quando non sai cosa aspettarti, la soluzione migliore è quella di stare sulla punta dei piedi pronto a colpire tutti i tipi di colpo. Assicurati di essere vicino alla palla e per farlo dovrai muoverti più del solito. Se non ti trovi a ricevere la palla dopo il rimbalzo, attacca in rete dove potrai colpire la palla in aria e non ti dovrai preoccupare di come rimbalza.

CAPITOLO 4: STRATEGIE MENTALI

Strategia #23

Come dominare I nervi

PROBLEMA:

Essere nervosi durante una partita di tennis è una reazione naturale. La cosa importante è non lasciare che i tuoi nervi compromettano le tue prestazioni. A volte se sei troppo nervoso ti puoi irrigidire durante i punti importanti e questo ti porterà a commettere errori stupidi e aumenterà la probabilità di perdere.

SOLUZIONE:

Ci sono un po' di modi per superare il nervosismo. Qui ci sono solo alcuni, che funzionano molto bene per la maggior parte dei giocatori di tennis:

- Sposta i piedi. Spesso, quando ci si sente nervosi, i piedi rimangono fermi e questo fa aumentare gli errori. Muovere i piedi più e più volte ti aiuterà a colpire meglio la palla e rilassarti durante il punto.

- Respira durante il punto, dentro e fuori. Sia quando la palla arriva a te e quando la colpisci. Quando non stai giocando il punto è ancora più importante respirare profondamente per rilassare i muscoli e ti aiuta a concentrarti sulla tua strategia, e non su quello che provi

- Abbassa il livello di intensità. Prova a pensare positivamente su ciò che stai progettando di fare durante il punto e respira profondamente e lentamente per abbassare la frequenza cardiaca.

Strategia #24

Come dominare lo stress durante un match

PROBLEMA:

Lo stress è un altro fattore che si verifica naturalmente quando ci si sente tesi e sotto pressione sia per la partita che a causa di forze esterne come la famiglia, gli amici, essere in ritardo, dimenticare le attrezzature da tennis, le condizioni atmosferiche, ecc.

SOLUZIONE:

Per superare lo stress bisogna capire ciò che è causa della tensione, in primo luogo. Se sei in ritardo per il match, assicurati comunque di prenderti il tuo tempo e non correre. Non recuperare il tempo perso andando più veloce. Questo, più di ogni altra cosa, potrebbe portarti a perdere troppi colpi. Se sei stressato sul tempo metereologico e senti che si potrebbe iniziare a piovere, si ti dovresti concentrare su un punto alla volta e lasciare che il meteo faccia quello che vuole indipendentemente da quello che sta succedendo all'interno della partita. Se si tratta di un membro della famiglia che sta causando lo stress, dovresti cercare di concentrare la tua attenzione sulla partita e bloccarli al di fuori della tua mente se ti stanno influenzando negativamente. Si può anche chiedere loro di rimanere tranquilli durante la partita o semplicemente di andarsene e tornare dopo la fine della partita. I familiari vogliono che tu sia vincente, ma lo stress della partita può essere eccessivo per loro. Concentrati su ciò che sta causando lo stress e risolvilo per poi concentrarti sulla partita per arrivare alla vittoria.

Strategia #25

Come rimanere concentrati fino alla fine

PROBLEMA:

Rimanere concentrati fino alla fine della partita non è un compito facile in quanto richiede un duro lavoro. Alcune persone iniziano bene ma finiscono in modo terribile a causa di una mancanza di concentrazione. Altri non si concentrano abbastanza a lungo per chiudere un gioco o un set.

SOLUZIONE:

Rimanere concentrati durante tutta la partita richiede un paio di stratagemmi.

1. è necessario avere ricordi visivi che ti aiuteranno a mantenere la tua mente su ciò che è più importante per te nella partita o quello che ti sta aiutando a vincere più punti. Uno dei modi migliori per farlo è quello di avere le note scritte su un pezzo di carta da leggere velocemente durante un change-over. In questo modo terrai a mente ciò che è necessario fare.

2 Scrivi su un adesivo due o tre cose importanti che ti aiuteranno a rimanere concentrato sulla tua partita e metti l'adesivo in un luogo sicuro sulla tua racchetta dove

non possa cadere. L'interno del cuore di una racchetta è un ottimo posto per mettere un adesivo. Il cuore di una racchetta da tennis si trova tra l'impugnatura e le corde.

Strategia #26

Cosa pensare durante un change-over

PROBLEMA:

I Change-over sono uno dei momenti più sottovalutati e meno considerati durante una partita di tennis. A che cosa si deve pensare? Sei stanco e assetato quindi perché dovresti pensare a qualcosa? Beh, i change-over sono il momento migliore per fare ciò che è più importante nel tennis ovvero pensare al fine di trovare soluzioni ai problemi che si hanno in partita e, infine, avere successo.

SOLUZIONE:

Durante un change-over dovresti pensare a quello che ti fa vincere i punti e quello che te li fa perdere. Se non stai segnando punti, dovresti chiederti il perché.

Forse il tuo avversario sta prendendo il controllo del punto fin dall'inizio e ti costringe a colpire solo rovesci e non ti consente di utilizzare il tuo diritto, ovvero il tuo colpo vincente.

Forse non muovendo abbastanza i piedi e quindi dovrai iniziare a concentrarti su questo.

Forse sei stanco e vorresti vincere più velocemente, ma non si sa come però durante la pausa ti rendi conto che devi attaccare in modo più aggressivo e possibilmente colpire di più a rete o eseguire palle corte.

Forse il tuo avversario non sta facendo nulla di speciale e tu sei quello che commette tutti gli errori. Ti rendi conto di questo durante la pausa e decidi la strategia per iniziare a tenere la palla di più in gioco o costringere l'avversario a fare più errori.

Strategia #27

A cosa pensare prima di un match

PROBLEMA:

Prima della partita è importante riflettere sulle cose da preparare per un piano d'attacco ma sapere a cosa è meglio pensare fa una grande differenza quando si tratta di vincere e perdere.

SOLUZIONE:

Sì, durante la partita dovresti fare del tuo meglio per non pensare troppo, ma prima della partita dovresti assolutamente prepararti su quello che farai durante l'incontro in modo che si possa inserire il "pilota automatico" durante la partita e semplicemente eseguire ciò che avevi pensato in anticipo. Dovresti pensare a ciò che è può portarti maggiormente al successo. Ciò potrebbe includere:

- Muovere i piedi.

- Gettare la palla in alto sulla servizio.

- A seguito attraverso i vostri colpi a terra.

- Tenere gli occhi sulla palla.

- Non correre durante i punti.

- Attaccare il tuo avversario per indebolirlo fin dall'inizio.

- Attaccare l'avversario sul secondo servizio.

- Non lasciare che qualcosa nei dintorni ti distragga.

Strategia #28

A cosa pensare durante la notte che precede l'incontro

PROBLEMA:

La notte prima della partita si dovrebbe riposare e pensare solo a cose sulle quali si ha il controllo. Non preoccuparti di eventi che tanto non potrai comandare come pioggia, vento, ecc. Assicurati che il tuo corpo e la mente riposino la notte prima della partita, perché non vorrai iniziare una nuova giornata con stanchezza o debolezza.

SOLUZIONE:

La notte prima della partita dovresti visualizzare come ti piacerebbe giocare il giorno successivo. Puoi immaginare strategie specifiche che vorresti mettere in pratica, quali:

- Tagliare e attaccare la rete.

- Eseguire alti topspin rispondendo ai rovesci del tuo avversario sul suo lato più debole.

- Fare lunghi scambi incrociati.

Altre cose da visualizzare la sera prima potrebbero essere:

- Vederti inseguire colpi difficili da angolo ad angolo.

- Essere in piedi fiducioso per tornare servire.

- Gettare la palla con orgoglio prima di servire.

- Essere motivato ed energico tra i punti.

Strategia #29

Cosa fare quando stai perdendo di un set

PROBLEMA:

Quando stai perdendo inizi a dubitare di te stesso e pensi che non potrai più vincere la partita. Sapere cosa fare per cambiare le cose è una questione sia emotiva che fisica.

SOLUZIONE:

Quando sei giù di un set è necessario comprendere che la chiave è nel capire dov'è che si stanno perdendo punti e dove si vincono.

Se ti stai perdendo a causa di molti colpi alti e questo è ciò che il tuo avversario ti costringe a colpire per la maggior parte del tempo, allora dovresti provare ad attaccare la rete di più e ridurre la quantità di colpi alti eseguito dalla parte posteriore del campo.

Se stai perdendo su scambi lunghi è perché il tuo livello di forma fisica non è forte come il tuo avversario, allora dovresti trovare un modo per eseguire punti chiave brevi. Dovresti portare il tuo avversario a rete più spesso o correre verso più colpi vincenti.

Se stai vincendo punti quando aggiri un rovescio per colpire un diritto, allora dovresti cercare di correre aggirare molti colpi e colpire diritto. Se hai vinto tutti i punti con il tuo primo servizio, allora dovresti concentrarti di più sui primi servizi.

Strategia #30

Cosa fare quando sei in vantaggio di un set

PROBLEMA:

Se hai vinto il primo set, hai un vantaggio emotivo e psicologico nel corso della partita che conta pesantemente. Che cosa dovresti fare nel secondo set per vincere la partita?

SOLUZIONE:

Dopo aver vinto il primo set sai che il tuo avversario farà uno sforzo maggiore per arrivare in alto nella partita. Inoltre, sai che sei vicino al traguardo dal momento che hai già vinto una gara.

La chiave è di mettere in pratica queste 3 cose:

1 Continuare a fare quello che stavi facendo mentre vincevi i punti. Modificare una strategia vincente non è il piano giusto, a questo punto. Non apportare modifiche stupide come ad esempio essere più aggressivo.

2 Fare uno sforzo supplementare per i primi 3 game della partita in modo che da avviarsi già con un buon vantaggio. Questo demoralizzerà l'avversario ed il resto della partita

sarà più facile. 3-0 o 2-0 o 4-0 sono tutte grandi partenze per una seconda serie.

3. Assicurati di rimanere in vantaggio fino a quando la partita finisce per non lasciare che il tuo avversario prenda in considerazione l'ipotesi di avere di vincere l'incontro, perché se non porterai a termine questa operazione, te ne pentirai in seguito.

Strategia #31

Cosa fare quando sei ad un match point

PROBLEMA:

Il match point può essere visto in molti modi diversi. Avere il giusto approccio fa la differenza. Essere troppo sicuro di sé o dubitare di te stesso sono entrambe reazioni molto comuni, ma negative per un match point. Cosa si deve fare?

SOLUZIONE:

Il match point è la più grande opportunità in un incontro per vincere. Assicurati di non pensare troppo durante il match point. Manteni le cose semplici. Qualunque cosa tu stia facendo se porta alla vittoria devi ripeterla senza dubbio durante il match point e fallo con precisione. Se ti senti nervoso, respira semplicemente e muovi i piedi per sbarazzarti almeno un po' dei nervi. Non guardarti in giro e non farti distrarre.

Ricorda: ATTIENITI AL PIANO ORIGINALE!

Strategia #32

Cosa fare dopo un doppio errore di servizio

PROBLEMA:

I doppi falli ti influenzano emotivamente e psicologicamente. Essi sono normali e possono accaderti durante una partita, a meno che non succeda troppo spesso. La differenza sta in quello che fai e pensi dopo il doppio errore per correggere la situazione.

SOLUZIONE:

Concentrati su ciò che è necessario fare per ottenere il servizio. Il secondo servizio richiede un livello di controllo più elevato perché è la tua ultima occasione per ottenere il punto. Non aggiungere alcuna pressione su te stesso o ti innervosirai. Assicurati di seguire questi 5 passi per un doppio fallo in meno:

1 Sii selettivo con i tuoi lanci. Non colpire ogni lancio. Prenditi il tempo necessario e solo colpo serve si sente avrà un'alta probabilità di andare in causa di un lancio ben piazzato.

2 Non avere fretta con il movimento nel servizio.

3. Rimbalza la palla almeno 4 volte prima di servire per rallentarti.

4 Segui il tuo movimento.

5 Tieni il mento e la testa verso l'alto quando la palla impatta contro la racchetta in modo da tenere gli occhi sulla pallina il più a lungo possibile.

CAPITOLO 5: TATTICHE MENTALI

33. *"Conosci il tuo avversario"*

Conoscere contro chi si sta per giocare prima dell'inizio della partita è estremamente importante. Loro hanno probabilmente già fatto il loro dovere e ne sapranno molto di più su di te di quanto tu possa immaginare. Vista la situazione, dovresti andare in giro a chiedere informazioni sul giocatore che si sta per sfidare. È possibile chiedere agli amici, ad avversari del passato, compagni di squadra, chiunque possa dare informazioni riguardanti il vostro avversario. Queste informazioni sono utili prima dell'inizio della partita, dopo di che dovrai probabilmente imparare il resto sul campo. Anche se il tuo avversario non si sta informando su di te, tu fallo comunque su di lui o lei.

Ci sono due ragioni principali per cui è vantaggioso esplorare il tuo avversario: la prima è perché sarai in grado di analizzare i suoi punti di forza e di debolezza. Capito questo, potrai decidere quale strategia funzionerà meglio nel match. Il secondo motivo è perché avrai il tempo per provare mentalmente il match prima ancora di entrare nel campo da tennis. Un'altra parola usata anche per questo tipo di pratica mentale è "visualizzazione". Si possono praticare i tratti e le strategie che desideri utilizzare, nella tua mente senza stancarti fisicamente.

Un'alta prestazione nel tennis si basa molto su questa pratica. Molte persone sognano ad occhi aperti riguardo la loro partita e contro chi stanno andando a giocare e non si rendono conto che stanno visualizzando il loro gioco. La maggior parte di noi lo hanno fatto almeno una volta in un modo o nell'altro. Quando sai come il tuo avversario gioca, ciò che gli piace e non gli piace fare, le sue capacità mentali e fisiche, è possibile ideare un piano di gioco preciso. Per capacità mentali si intende quanto sia forte l'aspetto mentale del loro gioco mentre per capacità fisiche si intendono come sono ben preparati per competere fisicamente. Forse il tuo avversario ti sta informando su di te. Ha un vantaggio e tu non vuoi questo. La cosa migliore che puoi fare prima di una partita è essere preparato. Conosci il tuo avversario.

34. "La partita finisce, quando finisce"

Le partite spesso diventano gare in cui entrambi i giocatori sono in attesa di vedere chi vincerà. Fortunatamente per te una partita può essere vinta anche se sei sul punto di perdere. Molte persone hanno vinto dopo essere stati in questa situazione di svantaggio 6/0 6/0 0-40. Questo è ciò che rende il tennis così competitivo. Devi essere concentrato fino alla fine della partita.

La fiducia ha un ruolo importante nella competizione, dal momento che un concorrente mentalmente debole può essere i vantaggio in una partita e poi perderla. Altre volte lui o lei può essere in svantaggio nella partita e non fare uno sforzo per tornare indietro o almeno per fare una bella lotta. Molti giocatori hanno imparato a non lasciare che le circostanze del passato influenzino le loro partite future in modo negativo. Un buon concorrente dovrà lottare fino alla fine, perché lui o lei può tornare e vincere la partita, nonostante il punteggio. Altri bravi giocatori sanno di non lasciare che un avversario si rimetta in partita, combattendolo fino alla fine. Concludere una partita in risalita da uno svantaggio è una delle cose più difficili da realizzare in ogni livello di gioco. Assicurati di ricordare a te stesso che "la partita finisce, quando finisce" in modo che si può diventare un concorrente temuto da altri e ricordato per la tua perseveranza.

APPLICAZIONE

Fai pratica giocando 5-0 o 4-0 in ogni set e poi cerca di concludere la partita. Non appena hai finito la tua prima partita alternati con il tuo partner per fare pratica. Dovresti giocare molti set per abituarti a questa mentalità.

35. *"Preparati al successo"*

Il successo arriva a coloro che sono pronti ad ottenerlo. Così come nella vita, questa dovrebbe essere la tua mentalità sul campo da tennis. Alcuni giocatori indossano appena alcuni vestiti, protezione solare, prendono alcune palle e la racchetta e si fiondano in campo. Colpiscono un paio di palle e li chiamano "servizi". Molte persone hanno solo pochi minuti per prepararsi ad una sessione di allenamento o di partita e il loro comportamento sembrerebbe abbastanza ragionevole per il breve lasso di tempo a loro disposizione.

Ora, analizziamo un altro approccio alla preparazione. In primo luogo fai una lista delle attrezzature di cui hai bisogno e spunta tutte le cose che farai sul campo. Quando hai quello che ti serve fisicamente preparati mentalmente sul tuo avversario. Cerca infine di ottenere un buon warm up. Questo è solo uno schema generale di un piano di preparazione di base. Ora diamo un'occhiata a uno più specifico. Queste sono tutte le regole di base richieste prima di entrare in campo.

Questi ne sono solo alcuni. È possibile aggiungerne di più se vorrai. Alcune di queste cose potrebbero sembrare sciocche, ma non sai quanto sciocco ti sentirai quando ne avrai bisogno e non ne disporrai. Evita di avere brutti momenti, avendo a disposizione gli strumenti giusti per il lavoro. Non essere troppo orgoglioso per chiedere aiuto a qualcuno, anche al tuo avversario. Siamo stati tutti in quelle situazioni dolorose e sappiamo come ci si sente. La maggior parte di noi sarà lieto di aiutarsi a vicenda.

Ora che hai la tua attrezzatura pronta, cerca di mettere a fuoco il tuo obiettivo. Ad alcune persone piace visualizzarlo, altri si eccitano e si gasano parlando a se stessi, e molti per rilassarsi ascoltano della musica. Ad alcuni piace guardare il tennis in TV o sul campo. Ognuno ha un approccio diverso per essere pronto per una partita. Alcuni esempi di questi ed altri approcci per vedere cosa ci fa ottenere una preparazione mentale migliore. Questa è una parte molto importante nella preparazione per una partita. Non prenderla alla leggera.

Se vuoi giocare a tennis per molti anni, fai un buon riscaldamento prima di ogni allenamento o partita. Non puoi immaginare i benefici che porta il riscaldamento.

Inizia con uno stretching leggero, per rendere i muscoli elastici. Poi corri per alcuni minuti. Puoi saltellare sul posto o attorno a una certa zona, fino a quando non ti sarai riscaldato completamente. Dopo di che, pratica un po' di mini-tennis e calcola gradualmente le distanze dalla rete fino ad arrivare alla zona di difesa in cui è possibile aumentare lentamente la velocità della palla.

36. "Mantieni una faccia da poker"

La maggior parte delle persone sarebbe d'accordo nel dire che alcuni dei migliori giocatori di poker del mondo sono coloro che riescono a mantenere la stessa faccia sia quando hanno carte buone che cattive. Questo potrebbe sembrare difficile da credere per alcuni, ma è una realtà soprattutto nel tennis. Avete notato come i giocatori più difficili da battere mantengono una faccia seria e mostrano poco le emozioni o i cambiamenti nei loro gesti? Questo può essere frustrante per le persone che amano vedere i loro avversari che si lamentano e gettano le loro racchette quando eseguono male un tiro o quando perdono un punto cruciale. I giocatori con il viso da poker sono concorrenti difficili perché non trasmettono i loro veri sentimenti, mentre sono sul campo. Anche quando si disperano per vincere, preferiscono mostrarsi calmi e concentrati. Non pensare che non abbiano emozioni. Sono solo nascoste, per il momento. Prova questo approccio per diventare un giocatore migliore. Forse farai del tuo meglio mostrando le tue emozioni, e va benissimo, ma per chi vuole provare qualcosa di nuovo, questo è un buon inizio. Si può cambiare il modo di visualizzare il tennis e si inizierà a vedere cose che non hai mai considerato prima, seppur presenti. Possono accadere grandi cose quando ti concentri e ti focalizzi sulla sfida. Quando sei calmo e privo di emozioni, migliorerai notevolmente la tua concentrazione. Mantieni una faccia da poker quando giochi per vedere chi sta bluffando e chi ha davvero quello che serve per vincere.

37. "Nascondi le tue debolezze, e sfrutta le loro"

Avete mai notato come alcuni giocatori sembrano essere perfetti in campo? Perché nessuno scopre il loro gioco? Forse sono molto bravi a nascondere le cose agli altri. Le cose che non vogliono farti sapere, come una debolezza? Se non si conosce la loro debolezza, come puoi attaccarli? In una partita, un giocatore è in svantaggio quando lei/lui non conosce le debolezze dell'avversario.

Prima dell'inizio della partita, scopri la debolezza del tuo avversario e cerca di cogliere come è possibile sfruttarla. Chiedi ad altri giocatori e amici se conoscono questa persona. Si può anche cercare su internet con il nome del giocatore e vedere quali informazioni utili sono disponibili per te. Se nessuno sa nulla su questa persona, scoprilo da solo nel warm up. Colpisci alcuni suoi diritti, poi un rovescio. Dopo di che, mescola l'altezza e la rotazione della palla. Ti troverai alla fine a notare un qualcosa che fanno meno bene rispetto al resto.

Ad esempio, quando hai un rovescio debole, impara a correre intorno ad esso e colpire un diritto. Un altro esempio potrebbe essere se la tua debolezza è la forma fisica e non vuoi scambi lunghi dalla linea di base. In questo caso è meglio attaccare a rete o mantenere i punti corti. In questo modo il nasconderai le tue debolezze sfruttando le loro.

APPLICAZIONE

Fai un allenamento con il tuo partner attaccando la tua debolezza con la sua arma vincente. In un primo momento ti sentirai a disagio, ma questo ti aiuterà a superare queste situazioni in una partita. Poi, colpisci il tuo partner nel suo punto più debole utilizzando la tua arma (fai semplicemente il contrario). Questo ti darà una migliore comprensione di quanto abile sia la tua arma e quanto hai bisogno di migliorarla. Stai imparando a giocare in difesa e attacco.

38. *"Colui che riceve l'ultima palla, vince"*

Ci sono molte filosofie su come si dovrebbe giocare a tennis. La più semplice possibile è "chi riceve l'ultima palla, vince". Quando la palla va in rete o fuori dalle righe, si perde il punto. E quando si tiene la palla, si vince. Questo potrebbe sembrare molto elementare, ma alcune delle cose più difficili da realizzare sono a volte quelle banali.

APPLICAZIONE

Per raggiungere tale legge, bisogna essere costanti. Devi mettere 10 palle costantemente in rete. Quando avrai completato le prime 10, sforzati per 20. Decidi quale sarà il tuo obiettivo e sforzati per raggiungerlo. Ad esempio, il mio obiettivo di questo mese è di ottenere almeno 100 palline oltre il mio compagno. Quando avrò raggiunto l'obiettivo, potrò iniziare a determinare l'area, l'altezza e la rotazione con cui colpire. Questo sarà precisato più nel dettaglio nella Legge #24.

39. *"Sii fedele a te stesso"*

Nel chiudere le partite, a tutti noi viene voglia di chiamare una palla fuori quando è vicina alla linea. Hai mai sentito parlare del detto "in caso di dubbio, chiamare fuori"? Questo, naturalmente, non è etico o corretto. Non lasciare che la pressione del momento ti faccia essere un giocatore ingiusto. Se si tratta di un invito a chiudere e non sei sicuro a questo proposito, ripeti il punto. E' la cosa giusta da fare. Eviterai di perdere tempo in inutili discussioni. Sii fedele a te stesso. Chiama la palla così come la vedi. Ti sentirai molto meglio con te stesso e sarai rispettato dagli altri.

APPLICAZIONE

Fai pratica guardando una partita dal vivo e prova a chiamare la palla dentro o fuori nella tua testa, non ad alta voce. In questo modo ti alleni chiamando a distanza ravvicinata più spesso anche quando non stai giocando.

Dopo un po' saprai istintivamente se una palla era dentro o fuori.

40. *"Chi colpisce per primo, colpisce due volte"*

Ogni volta che attacchi in un punto sarai al comando e avrai maggiore facilità a concluderlo. In altre parole, quando si inizia ad attaccare si sarà in grado di continuare ad essere offensivi (la maggior parte delle volte). Non aspettare che le cose accadano. Vai là fuori e fai del tuo meglio per essere colui che è responsabile del punto. Impara a essere proattivo e non reattivo. Una persona proattiva agisce in anticipo per affrontare una difficoltà attesa. Una persona reattiva risponde ad uno stimolo. Nel tennis reagire alle cose che accadono sul campo è normale. Quando si impara a essere proattivi, le possibilità di vincita aumentano considerevolmente. Prendi il controllo del punto. Colpisci prima in modo da colpire due volte.

41. *"Sii un baro per vincere"*

Molte persone sentono di non avere abbastanza fiducia e coraggio per vincere una partita in situazioni di pressione. Perché allora non diventare un attore sul campo da tennis e giocare il ruolo del giocatore di tennis fiducioso e coraggioso. Sii un baro e vincerai più spesso di quanto pensi. Sceglie il modo in cui desideri essere visto dentro e fuori dal campo. Poi agire come quella persona desideri essere. Ti sentirai un po' a disagio in un primo momento, ma attraverso una certa pratica ci si abitua presto. Alcune persone non capiscono l'importanza che ha l'immagine che si esercita sul campo.

Un esempio di questa tecnica potrebbe essere quando hai appena giocato un primo set molto lungo e sei molto stanco. Il tuo avversario sembra anche stanco, ma decidi di mostrarti in maniera energica e positiva. Fagli credere che potrai mantenere la stessa energia per altri due set. Questo può essere molto demoralizzante per chiunque.

Lui ti darà uno sguardo, e capirà di non avere alcuna possibilità (anche se entrambi vi sentite molto stanchi dentro). Il tuo avversario decide che lui / lei non può gestire una seconda serie con qualcuno che non sembra stancarsi e sceglie di rinunciare. Che ne dite di questo! Non sempre accade. Essere falsi sicuramente migliorerà le tue probabilità di vittoria. Tutti gli attori lavorano duramente per perfezionare la loro immagine. Sanno che il loro successo dipende da essa. Forse non vincerai un "Oscar" per la performance, ma potrai vincere molte più partite.

42. "Abbatti I muri"

Ogni giocatore di tennis ha il suo proprio castello da proteggere. Le sue mura mantengono i nemici lontani. Ma se quelle mura si riducono, non vi è molta speranza per quel castello. Alcuni muri per i giocatori di tennis sono i loro servizi o i loro rovesci. Altri hanno come muro la velocità o la pazienza. Quando abbatti un muro di protezione di un giocatore, si apre una porta verso i suoi colpi più deboli. Impara ad "abbattere i muri" e potrai vincere molte battaglie.

APPLICAZIONE

Fai fare il gioco d'attacco al tuo partner e gioca sulla difensiva. In altre parole, il tuo partner durante l'allenamento ti attaccherà e cercherà di finire il punto mentre a te basta tenere la palla in gioco in attesa che lui / lei perda. Una volta che entrambi avrete imparato, cambiate. Ora sei diventato il giocatore aggressivo e lei

/lui diventa il difensore. In questo modo imparerai ad abbattere quei muri in anticipo per indebolire il territorio. Ricorda che stai lavorando per disarmare l'avversario, in modo o in un altro.

43. *"Impara da tutte le partite"*

Gli errori sono giustificati quando impari da loro e ti correggi. Non prendere l'abitudine di fare errori spontanei e non imparare da loro. Questo ti farà del male nelle situazioni competitive sul campo. Il modo migliore per visualizzare gli errori spontanei è come un processo di apprendimento che richiederà tempo e dedizione. Tenerli a mente e correggerli sia in allenamento che in partita farà salire il tuo livello di tennis alle stelle. Ogni partita ci dice qualcosa. E' come uno stato di veglia. Dobbiamo aprire gli occhi e vedere quello che abbiamo bisogno di capire. Tanta conoscenza può essere accumulata con l'esperienza. Tieni un registro di tutte le tue esperienze in modo da poter accrescere le conoscenze. Prova ad utilizzare questo esempio di registro per il "dopo partita":

Tabellina del dopo gara

DATA:

AVVERSARIO:

TORNEO:

TUO VOTO 1-10:

(10 E' LA TUA MIGLIORE PERFORMANCE)

QUELLO CHE HO FATTO MEGLIO NELLA PARTITA

COSA HO SBAGLIATO NELLA PARTITA

QUELLO CHE HO IMPARATO

IN CHE MODO APPLICHERO' LE NUOVE CONOSCENZE

Molte volte non impariamo dai nostri errori perché ce ne dimentichiamo. Ricorda a te stesso tutte le piccole cose che devi fare per continuare a migliorare e ottenere i tuoi obiettivi. Guarda attraverso i tuoi registri del "dopo partita" almeno una volta ogni tanto.

44. "Acquisire conoscenze"

Pallina da Tennis + Racchetta + Conoscenza = *Successo*

Non essere troppo orgoglioso per chiedere aiuto. Molti istruttori di tennis saranno lieti di aiutarti se glielo chiederai. Tieni a mente che alcuni sono più specializzati in determinati settori rispetto ad altri. Sapere cosa desideri migliorare o imparare li aiuterà. Potrai risparmiare un sacco di tempo imparando dai loro errori, rispetto a farli tu e dover imparare da questi. Le informazioni su tutti gli argomenti, è disponibile nei libri di tennis, riviste, video e su Internet.

Quanto più conoscenza hai, più creativo potrai essere nel tuo gioco del tennis. Riuscirai a prendere decisioni migliori quando avrai a disposizione più informazioni che ti aiuteranno a decidere.

45. *"Conosci le tue regole"*

E 'molto utile sapere quali sono le regole del tennis.

Alcune persone non si rendono conto di quanti vantaggi si

possono ottenere avendo informazioni su:

Dimensioni del campo

Regole del singolo

Regole del doppio

Regole del doppio misto

Racchette

Palline

Il servizio

Ordine di servizio

Allenamento

Regole dei tennis sulla sedia a rotelle

LO SAPEVI?

Lo sapevi che la rete è più bassa al centro del campo? E lo sapevi che quando si fa gioco incrociato, in realtà si sta colpendo un colpo ad alta percentuale di riuscita (un colpo che avrà una possibilità più ampia di portare un punto se segui la linea), in quanto la distanza del tiro incrociato è maggiore della distanza lungo la linea? Come puoi vedere, le regole del tennis possono essere molto utili quando si vuole giocare in modo saggio ed efficiente.

APPLICAZIONE

Ottieni una copia del libro delle regole del tennis della tua associazione e guarda oltre per vedere quante cose nuove hai imparato da essa. Guarda la sezione che parla della quantità di tempo che hai tra punti, giochi, set e partite. Fai tesoro di questa conoscenza. Fai pratica sulle tempistiche che hai a disposizione tra un punto e l'altro ed abituati considerando il tempo che avrai a disposizione durante la partita. Allenati anche a giocare i punti e dare a te stesso non più di 30 secondi di riposo. Lavora sul condizionamento fisico. Questo ti aiuterà a tenere il passo con il ritmo che desideri mantenere in una partita.

46. *"Costruisci la tua scacchiera"*

Il tennis è come una scacchiera; devi mettere tutti i pezzi nei posti giusti. Quando ti posizioni nel posto giusto al momento giusto, ti ritrovi ad eseguire il colpo ideale. Le cose non succedono per caso, devi farle accadere. Sii pronto ad improvvisare.

APPLICAZIONE

In primo luogo, lavora sui tuoi colpi basici. Dopodiché mescola scatti e corse diversi nelle varie situazioni. Questo ti aiuterà a costruire il tuo piano di gioco per ogni partita.

Esercizio #1

Alterna colpendo topspin e backspin (slice) con il tuo diritto. Cerca di non ripetere sempre lo stesso effetto due volte. Solo il tuo partner potrà colpire con lo stesso tipo di movimento. Quando ti sei allenato per bene con il diritto, passa al rovescio. Alterna le rotazioni ed il tuo partner colpirà con lo stesso effetto. Dopodiché scambiati con il tuo avversario.

Esercizio #2

Un giocatore colpisce un tiro incrociato mentre l'altro giocatore colpisce la linea (retta). Questi colpi creano un modello a forma di otto (8). Quando hai finito l'allenamento, scambiati i colpi con il tuo partner.

47. *"Trova lo schema"*

Molti giocatori sono soliti giocare a tennis in un modo spesso prevedibile. Imparano a colpire la palla in un certo modo più e più volte. Hanno anche imparato ad eseguire certi colpi in punti specifici come match point o set point. Se si impara quale sia il loro schema di gioco è più facile prevedere cosa faranno. Quando si impara a decifrare il modello di una persona non sarà più in grado di stupirti. Il loro gioco sarà vulnerabile, una volta che avrai capito dove sta andando la palla e che cosa fare per approfittare di questa situazione.

Non hai bisogno di essere un matematico per imparare a scovare uno schema di gioco. Guarda alcune partite di tennis da vicino o in TV. Cerca i differenti schemi giocati in ogni punto, game, set o in altri punti dell'incontro.

48. "Scacco matto al Re"

Negli scacchi, ci si trova spesso nella situazione in cui è necessario utilizzare le pedine più deboli per vincere. Nel tennis questo accade spesso. E' molto difficile svegliarsi tutti i giorni e giocare al meglio. Una volta ogni tanto, giocare una partita non proprio al top delle potenzialità, servirà per far uscire il campione che c'è in te. Vincere nel momento in cui stai giocando male eseguendo un livello basso di gioco può essere come una sfida, cercando di isolarti dal resto. Sii vittorioso nella migliore e peggiore delle situazioni.

APPLICAZIONE

Gioca una partita dove il tuo partner di allenamento attacca la tua debolezza con la sua arma migliore. Fallo per non più di 45 minuti, e poi passa. Dopo che entrambi di voi hanno completato almeno due set, gioca alcuni punti per far pratica dove potrai colpire ovunque, e sarai felice di scoprire come riuscirai ad eseguire ottimi colpi dal tuo lato più debole.

Gioca una partita seria con qualcuno che non sia il tuo partner con il quale ti alleni. Confronta le tue prestazioni con quelle di incontri passati dove le tue debolezze sono state causa della sconfitta. Puoi verificare le hai raggiunto un livello superiore di confidenza riguardo il tuo lato debole rispetto al passato. Questo ti verrà in aiuto per vincere le partite quando non stai giocando al meglio. Queste sono altre tecniche che possono essere utilizzate in diverse circostanze, ma sicuramente sono un buon punto di partenza.

49. "Costruisci una base"

Nella vita, possiamo avere più di un piano per raggiungere lo stesso obiettivo. Abbiamo un piano A e se non dovesse funzionare, utilizzeremo il piano B. Nel momento in cui anche il piano B non dovesse funzionare, utilizzeremo il piano C. Questo viene chiamato "avere una strategia di base". Nel tennis potresti aver bisogno di modificare il tuo gioco molte volte nel corso di un'unica partita. Si rende quindi necessario avere una strategia di base, oopure una strategia, che pensi sia la migliore rispetto all'avversario che hai difronte. Pensa ad una strategia di base, e quando l'hai visualizzata, pensa a strategie alternative che potresti utilizzare se la prima andasse male.

Ovviamente, avrai un piano A che rappresenta la tua migliore strategia di gioco, con la quale ti senti di più a tuo agio. Fatto questo, hai bisogno di costruirti un piano B. Se il tuo piano A. Now you need to decide what is going to be your plan B. Se I ltuo piano A si basa su martellare il tuo avversario dalla linea di fondo, il tuo piano B potrebbe essere quello di attaccare in rete. In questo modo acceleri il ritmo del gioco. Infine, il piano C potrebbe essere semplicemente di mantenere la palla in gioco ed aspettare un errore da parte del tuo avversario. Così rallenterai il ritmo della partita.

Se qualcosa non funziona, prova a passare dal piano A al piano B. Se il piano B non è la soluzione, prova a pianificare il piano C. Devi avere sempre almeno tre strategie alternative sulle quali ripiegare, ma prima costruisciti una base. La tua base è il piano con cui si inizia ogni partita. Di solito è quello che ti ha dato i migliori risultati in passato e con il quale ti senti di più a tuo agio.

50. "Non essere banale"

Il modo più logico per vincere è attraverso l'uso della tua arma. Ma quando si utilizza un'arma troppo spesso il tuo avversario si abitua ad essa. Questo diventa pericoloso per te. E' bene non essere troppo prevedibili agli occhi degli avversari. Usa la tua arma, per quanto possibile, ma utilizza anche altri colpi per essere fuori controllo. Non lasciare che si abituino a vedere lo stesso schema o la stessa corsa troppo spesso. Non essere banale. Diventa imprevedibile.

APPLICAZIONE

Un buon modo per imparare o migliorare il modo in cui si mixano i tuoi colpi è di essere specifico nel tuo allenamento. Gioca alcuni punti con il tuo partner dove nessuno dei due sarà autorizzato ad eseguire lo steso colpo due volte. In un primo momento, fallo senza servire.

Basta avviare il punto con un lancio subdolo. Un esempio di questo esercizio potrebbe essere:

Colpisci un diritto:

con topspin

con slice

piatto

Profondo lungo il campo con topspin

Corto sul campo con topspin

Profondo lungo il campo con slice

Corto sul campo con slice

Colpisci un rovescio:

con topspin

con slice

piatto

Profondo lungo il campo con topspin

Corto sul campo con topspin

Profondo lungo il campo con slice

Corto sul campo con slice

NOTA: I colpi possono essere ripetuti fino a quando si alternano con un altro colpo. Puoi rendere le cose semplici, a tuo piacimento. Quando sarai abile potrai aggiungere molti colpi diversi, a piacere. E' meglio iniziare a mixare due o tre colpi diversi e aggiungere gradualmente qualcun altro con il tempo.

51. *"La mente al di sopra di tutto"*

Il tennis inizia come gioco fisico, ma poi trascende in un gioco mentale. Le cose che il nostro corpo fisico non può fare, la nostra mente può eseguire molte volte. Il potere della mente è inimmaginabile. Emozioni e pensieri diventano estremamente importanti quando siamo nervosi o a disagio durante la partita. Il nostro corpo potrà farà cose che a volte ci sorprenderanno. "Perché non alzo il braccio un po' più alto per lanciare la palla oltre la rete?"

Quello che dobbiamo ricordare è che la nostra mente controlla il nostro corpo ed è solo comprendendolo che la nostra mente ci verrà in aiuto. Esercitati per controllare le tue emozioni. Esse possono diventare grandi alleate nei momenti di bisogno.

La concentrazione è fondamentale in partita. E' una grande abilità che può essere appresa con una certa pratica. E' una delle cose più difficili da manovrare, ma davvero molto preziosa.

52. *"Regala solo per I compleanni"*

La maggior parte di noi sa quanto sia importante non regalare i punti in una partita e soprattutto quando si tratta di un match conclusivo. Spesso diamo via alcuni punti che alla lunga sono controproducenti. Bisogna ridurre al minimo i punti regalati o gli errori involontari quando si compete. I regali si fanno solo per i compleanni.

APPLICAZIONE

Un ottimo modo per ridurre al minimo i punti regalati è quello di migliorare la tua coerenza. La prossima volta andrai ad allenarti sul campo da tennis dopo esserti riscaldato, prendere solo una palla tienila in gioco con il tuo partner il più a lungo possibile. TI devi abituare a tenere la palla in gioco fin dal primo punto. Quando ti alleni in questo modo, conta quante volte prendi la palla senza perderla. Quando hai perso quella prima palla dopo averla mantenuta in gioco per un po' scegli un lato specifico, colpisci e dalle l'effetto che vuoi per fare lo stesso tipo di esercizio. Per esempio: colpisci un diritto incrociato con topspin. Prova a tenere la palla in gioco il più a lungo possibile, senza perderla e poi segnati quante volte la palla è rimasta in campo. Fai questo esercizio sia per il tuo diritto che per il rovescio e confrontalo con il tuo prossimo allenamento. Dovresti farlo almeno per questi colpi: diritto incrociato, rovescio incrociato, diritto rovescio lungo la linea e rovescio diritto lungo la linea.

53. *"Cuor di leone"*

Le partite di tennis ed i tornei si vincono in molti modi.

Alcuni si vincono perché si è molto abili. Altri si vincono

per le condizioni fisiche migliori rispetto ad altri. Il modo

specificato in questa Legge è probabilmente il più

importante da considerare: il cuore. Esso ha il potere di

portare il nostro livello di tennis ad un perfetto dieci. Ti

può far diventare il più temuto tra i concorrenti. E cosa

più importante di tutte, ti farà diventare vittorioso.

54. "Scegli la tua arma"

Quando stai iniziando ad aumentare il tuo livello nel tennis, sentirai maggiore controllo. Questo controllo segna l'inizio della tua specializzazione. Ognuno di noi ha qualcosa che riesce a fare meglio di altre. Questo è ciò che ti permette di controllare il punto attraverso una o più qualità: potenza, posizionamento, rotazione, e coerenza. Questo è definito la tua "arma". Più saprai aumentare la potenza della tua arma, più diventerai pericoloso. Alcuni giocatori hanno un servizio imprevedibile. Altri vantano potentissimi diritti o rovesci. Molti vincono grazie alla velocità e alla forma fisica. Trova la tua arma, e quando lo fai, accresci il suo potenziale creando una nuova mossa vincente. In questo modo avrai due armi e diventerai una doppia minaccia per gli altri.

55. *"La perfezione attraverso l'imitazione"*

Alcuni dei più grandi artisti di tutti i tempi hanno cominciato imitando i loro pittori preferiti, per poi formare il proprio stile e forma d'arte. Creare il proprio stile di gioco è una cosa meravigliosa da fare, ma questo potrebbe richiedere del tempo. Il tennis può essere imitato e poi perfezionato. Cerca uno specifico tennista professionista che ha lo stile di gioco che ti piace. Poi leggi su di lui / lei. Guarda le partite in TV. Cerca di imitare ogni suo dettaglio, fino a padroneggiare il suo stile di gioco. Quando lo fai, cerca di farlo diventare tuo, aggiustandolo fino a quando ti sentirai a tuo agio. Ricorda, non diventare una copia di un altro giocatore di tennis, basta prendere quello che sa fare bene e farlo ancora meglio.

56. *"Il quadrifoglio"*

Quadrifogli, un piede di coniglio fortunato, ferri di cavallo, sono tutte forme di portafortuna che ci possono confortare. La fortuna è importante nel tennis? Sì. Perché? Beh, perché ci sono cose che non possiamo controllare, non importa quello che facciamo. Possiamo lasciare che la fortuna sia il fattore decisivo per il risultato della nostra partita? No. Dobbiamo migliorare le nostre possibilità di fare le cose giuste come: prepariamoci correttamente per una partita, analizziamo gli avversari, utilizziamo strategie adeguate, rimaniamo positivi e concentrati. Queste sono solo alcune tecniche, ma è un inizio. La fortuna viene a coloro che la cercano. Non aspettare il momento giusto o la partita giusta per utilizzare il tuo vero potenziale. Fallo adesso. Inizia con il primo punto e continua fino alla fine della partita. Tu saprai se le partite o i punti sono il risultato della fortuna. Questi punti non arrivano senza un po' di duro lavoro.

APPLICAZIONE:

Fai la tua fortuna e vedrai i risultati. Il modo migliore per accrescere la tua fortuna è attraverso la definizione degli obiettivi. Scegli obiettivi che possano essere misurati. In questo modo potrai vedere il tuo miglioramento e decidere se devi apportare delle modifiche ai tuoi obiettivi. Una volta che avrai deciso gli obiettivi scegli il modo per raggiungerli ed appuntatelo. Stabilisci inoltre delle mete quotidiane che ti aiuteranno a raggiungere quella principale.

Segnati in una tabellina i tuoi obiettivi quotidiani e portatela ovunque tu vada. In ogni momento potrai chiedere a te stesso: "Mi sto avvicinando alla meta?" Se non ci sei ancora, fermati. Se invece ci sei quasi, sei sulla strada del successo.

Ecco un semplice esempio:

Il tuo obiettivo potrebbe essere: "migliorare la mia percentuale del primo servizio del 20%."

Ora decidi che cosa devi fare per ottenerlo:

Avere un esperto che può dare un'occhiata al mio servizio.

Allenati per "X" servizi a settimana.

Aggiungere rotazione alla palla.

Migliorare l'accelerazione.

Aumentare la forza delle gambe.

Usare gli strumenti durante l'allenamento (coni, palline, ecc)

Ora, trasforma queste idee in obiettivi quotidiani e annotali su una scheda in modo da poter controllarli molte volte al giorno.

57. *"Umorismo ai coraggiosi"*

Quando si è alle strette e le cose non stanno andando nel modo in cui si desidera, si tende ad essere irritabili, negativi e distratti. Come fanno alcuni giocatori ad utilizzare questi momenti per farsi più forti? La maggior parte degli errori di distrazione che si fanno nei punti importanti si verificano a causa della pressione che si sente. Un ottimo modo per sbarazzarsi di quella pressione è attraverso l'umorismo. Ogni volta che commetti un errore, ridici sopra scioccamente. Non puoi immaginare come ti sentirai rilassato e come questo può influenzare positivamente il tuo gioco. Quando sei di buon umore, la maggior parte delle cose tendono ad andare nel modo che desideri. Sì, hai ancora voglia di vincere e senti ancora la pressione, ma sorridendo o ridendo di questi errori potrai essere ancora competitivo. Quando si è competitivi si lotta fino alla fine e tutti lo possono sentire. Non prendere la via più facile urlando e gettando la racchetta. Godrai di più nel tennis se riderai nei momenti brutti e continuando anche in quelli belli.

58. *"Vai dov'è la festa"*

Quando senti che l'allenamento con i tuoi amici di tennis o di una certa struttura di formazione non è più abbastanza per te. Se non stai migliorando il tuo livello di gioco nel modo in cui vorresti o semplicemente desideri iniziare a competere su base regolare, vai dove c'è la festa. In altre parole, vai dove potrai allenarti nel modo in cui desideri o dove potrai competere con chi ti piace di più. Se continuerai a fare sempre le stesse cose, otterrai gli stessi risultati. Tocca a te. Cosa vuoi fare del tuo tennis? Vai dove devi essere.

59. *"Piccoli passi da gigante"*

I veri campioni sanno che ci vuole tempo per diventare davvero bravi. Tutto inizia con quei pochi passi e prosegue con ulteriori piccoli passi, non salti. Tutto ciò che fai ti sembrerà di ottenerlo con poco sforzo se ti prenderai i tuoi tempi. Prima si impara a guidare a 10 mph. Poi si impara ad andare un po 'più veloce, a circa 25 mph. Più tardi si va a 50 miglia all'ora. Finalmente dopo piccoli passi successivi, si arriva a 100 miglia all'ora. La stessa cosa vale nel tennis. Non frustarti se ottieni lenti miglioramenti fintanto che sono graduali. Questi piccoli miglioramenti sono il seme per la crescita futura. Vuoi diventare un gigante del tennis? Fai piccoli passi verso il successo.

60. *"Il secondo servizio: puoi eseguirlo bene"*

Il secondo servizio può migliorarti o spezzarti come giocatore di tennis. Un buon secondo servizio ti porterà ad alcuni punti facili o almeno ti metterà in una buona posizione per iniziare il punto. Un brutto secondo servizio spesso ti causerà un doppio fallo e permetterà al tuo avversario di controllare il proprio punto fin dall'inizio. Pratica questi esercizi utili per aumentare la percentuale del tuo secondo servizio.

CAPITOLO 6: ALIMENTARE GLI ALLENAMENTI

Colpendo sopra la corda con un diritto in diagonale

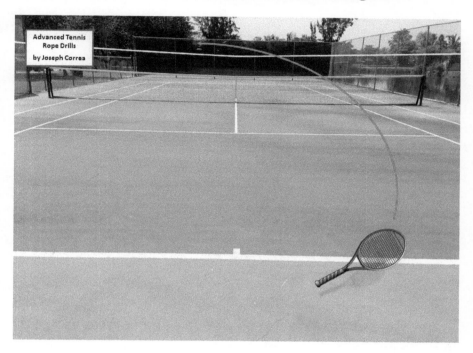

In questo esercizio dovrai colpire la palla con un diritto al di là della corda in diagonale con topspin o con palle senza effetti alimentate da qualcun altro dall'altra parte della rete. Assicurati di lavorare sulla profondità e sul controllo.

Colpendo oltre la corda con un rovescio diagonale

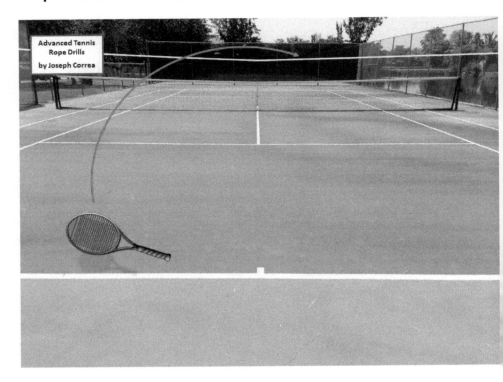

In questo esercizio dovrai colpire la palla con rovesci al di là della corda in diagonale con topspin o con palle senza effetti alimentate da qualcun altro dall'altra parte della rete. Assicurati di lavorare sulla profondità e sul controllo.

Colpendo oltre la corda con un diritto a fondo campo

In questo esercizio dovrai colpire diritti oltre la corda in direzione del rovescio del tuo avversario (sempre che giochi con la mano destra. Altrimenti, se fosse mancino, sarà il suo diritto). Tira in fondo alla linea, con topspin o palle senza effetti alimentate da qualcun altro dall'altra parte della rete. Assicurati di lavorare sulla profondità e sul controllo.

Colpendo oltre la corda un rovescio a fondo campo

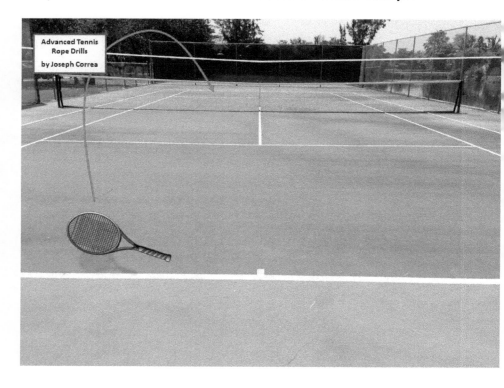

Per questo esercizio devi colpire sopra la corda con top spin con il tuo rovescio lungo la linea ed mettere palla in profondità sul campo. Assicurati di concentrarti sul seguito del tiro e di utilizzare le gambe per generare una rotazione. Questo può essere un grande colpo offensivo se il tuo avversario ti sta attaccando di rovescio e avrai bisogno di metterlo in fuga con un tiro sicuro. Sono ammessi i colpi senza effetto, ma questo esercizio è più efficace se fatto con top spin.

Colpendo oltre la corda alternando diritto e rovescio in diagonale

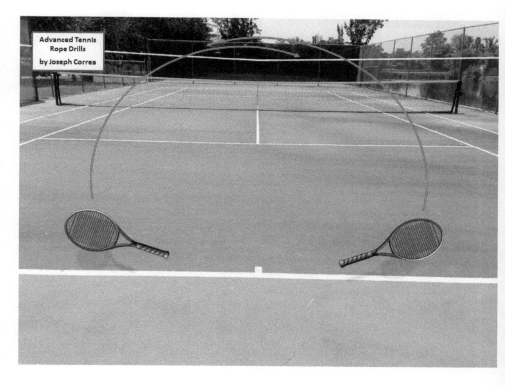

In questo esercizio dovresti colpire oltre la corda con top spin con il dritto in diagonale e poi il seguente colpo con il tuo rovescio in diagonale. Continua a fare questo per il resto dell'esercizio. Lavora per mantenere la palla in profondità sul campo. Assicurati di concentrarti sul tiro e di utilizzare le gambe per generare una rotazione. Questo può essere un grande colpo offensivo se il tuo avversario non si muove molto bene. Sono ammessi i colpi senza effetto, ma questo esercizio è più efficace se fatto con top spin.

Colpendo oltre la corda alternando diritto e rovescio a fondo campo

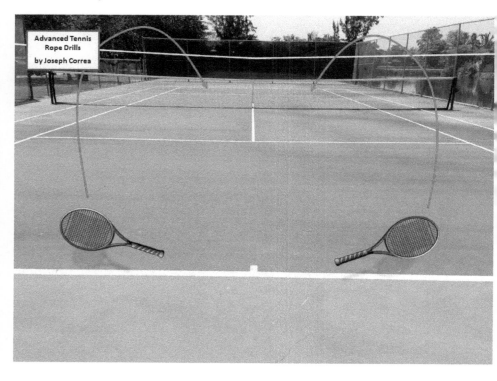

In questo esercizio dovresti colpire oltre la corda con top spin con il dritto lungo la linea e poi il seguente colpo con il tuo rovescio lungo la linea. Continua a fare questo per il resto dell'esercizio. Lavora per mantenere la palla in profondità sul campo. Assicurati di concentrarti sul tiro e di utilizzare le gambe per generare una rotazione. Questo può essere un grande colpo offensivo se il tuo avversario non si muove molto bene. Sono ammessi i colpi senza effetto, ma questo esercizio è più efficace se fatto con top spin.

Colpendo sotto la corda con diritti in diagonale

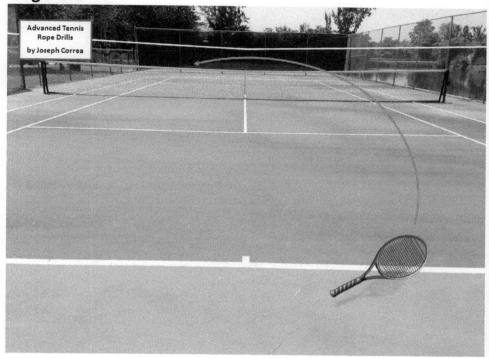

In questo esercizio dovresti colpire sotto la corda con top spin o senza effetto con il diritto in diagonale per mettere la palla in profondità lungo il campo. Assicurati di concentrarti sul tiro e di utilizzare le gambe per generare una rotazione. Questo può essere un grande colpo offensivo se il tuo avversario non si muove molto bene. Sono ammessi i colpi senza effetto, ma questo esercizio è più efficace se fatto con top spin.

Colpendo sotto la corda rovesci in diagonale

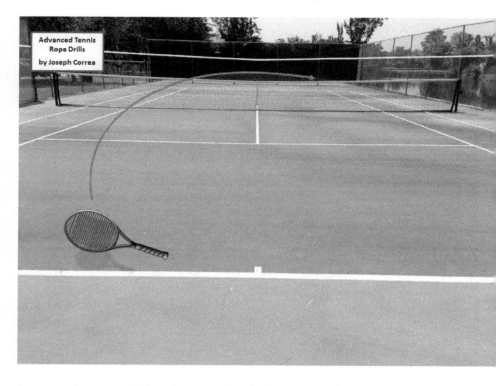

In questo esercizio dovresti colpire sotto la corda con top spin o senza effetto con il rovescio in diagonale per mettere la palla in profondità lungo il campo. Assicurati di concentrarti sul tiro e di utilizzare le gambe per generare una rotazione. Questo può essere un grande colpo offensivo se il tuo avversario ha un rovescio più debole del tuo. Sono ammessi i colpi senza effetto, ma questo esercizio è più efficace se fatto con top spin.

Colpendo sotto la corda diritti a fondo campo

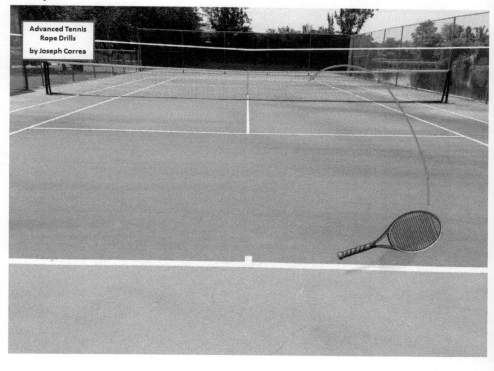

In questo esercizio dovresti colpire sotto la corda con top spin o senza effetto con il diritto lungo la linea mettendo la palla in profondità sul campo. Assicurati di concentrarti sul tiro e di utilizzare le gambe per generare una rotazione. Questo può essere un grande colpo offensivo se il tuo avversario ha un rovescio debole. Sono ammessi i colpi senza effetto, ma questo esercizio è più efficace se fatto con top spin.

Colpendo sotto la corda rovesci a fondo campo

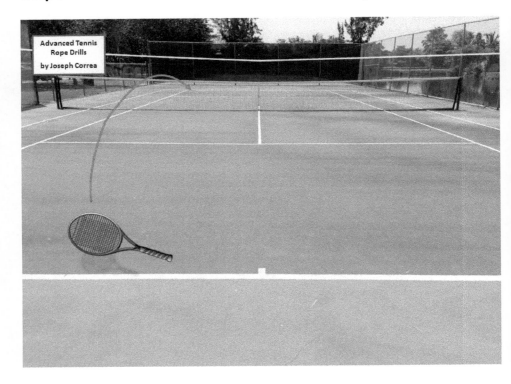

In questo esercizio dovresti colpire sotto la corda con top spin o senza effetto con il rovescio lungo la linea mettendo la palla in profondità sul campo. Assicurati di concentrarti sul tiro e di utilizzare le gambe per generare una rotazione. Questo può essere un grande colpo offensivo se il tuo avversario ha un diritto debole se eseguito in corsa. Sono ammessi i colpi senza effetto, ma questo esercizio è più efficace se fatto con top spin.

Colpendo sotto la corda alternando diritti e rovesci in diagonale

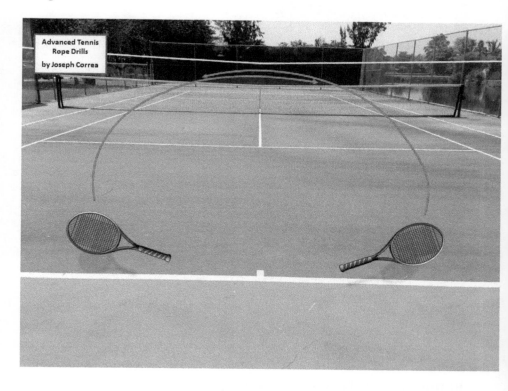

In questo esercizio dovresti colpire sotto la corda con top spin con il dritto in diagonale e poi il seguente colpo con il tuo rovescio in diagonale. Continua a fare questo per il resto dell'esercizio. Lavora per mantenere la palla in profondità sul campo. Assicurati di concentrarti sul tiro e di utilizzare le gambe per generare una rotazione. Questo può essere un grande colpo offensivo se il tuo avversario non si muove molto bene. Sono ammessi i colpi senza effetto, ma questo esercizio è più efficace se fatto con top spin.

Colpendo sotto la corda alternando diritti e rovesci a fondo campo

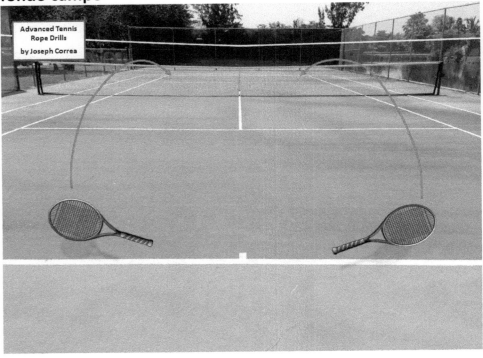

In questo esercizio dovresti colpire sotto la corda con top spin con il dritto lungo la linea e poi il seguente colpo con il tuo rovescio lungo la linea. Continua a fare questo per il resto dell'esercizio. Lavora per mantenere la palla in profondità sul campo. Assicurati di concentrarti sul tiro e di utilizzare le gambe per generare una rotazione.

Questo può essere un grande colpo offensivo se il tuo avversario non si muove molto bene. Sono ammessi i colpi senza effetto, ma questo esercizio è più efficace se fatto con top spin.

CAPITOLO 7: ALLENAMENTI IN DIRETTA

OLTRE LA CORDA

Oltre la corda palleggiare 20 palle da topspin diritto a diritto a fondo campo (resistenza)

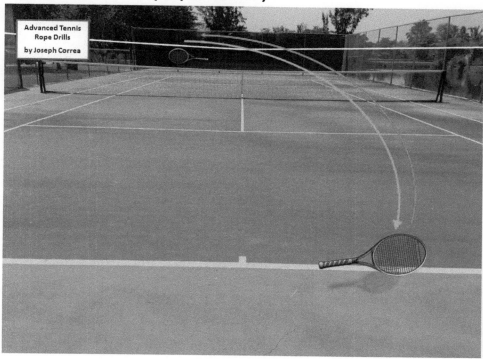

In questo esercizio dovresti colpire oltre la corda con top spin o colpi senza effetto con il diritto in diagonale e mettere la palla in profondità sul campo. Il tuo partner o allenatore dovrebbe colpire restituendo un diritto in diagonale verso di te. Il tuo obiettivo è quello di raggiungere un minimo di 20 palle colpite avanti e indietro senza perderle. Se si perde si deve ricominciare da zero. Continua fino a quando si colpiscono 20 palline utilizzando questo modello. Sono ammessi i colpi senza effetto, ma questo esercizio è più efficace se fatto con top spin.

Oltre la corda palleggiare 20 palle da topspin rovescio a rovescio a fondo campo (resistenza)

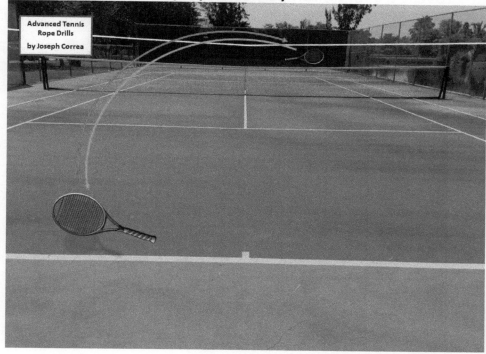

In questo esercizio dovresti colpire oltre la corda con top spin o colpi senza effetto con il rovescio in diagonale e mettere la palla in profondità sul campo. Il tuo partner o allenatore dovrebbe colpire restituendo un rovescio in diagonale verso di te. Il tuo obiettivo è quello di raggiungere un minimo di 20 palle colpite avanti e indietro senza perderle. Se si perde si deve ricominciare da zero. Continua fino a quando si colpiscono 20 palline utilizzando questo modello. Sono ammessi i colpi senza effetto, ma questo esercizio è più efficace se fatto con top spin.

Oltre la corda palleggiare 20 palle da topspin diritto a rovescio a fondo campo (resistenza)

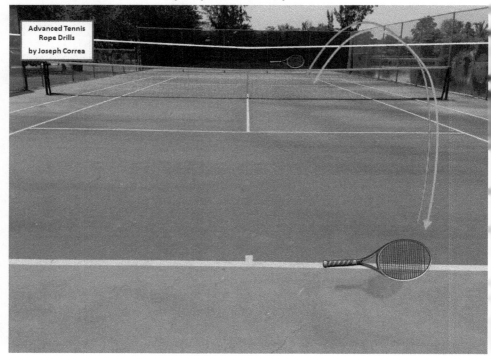

In questo esercizio dovresti colpire oltre la corda con top spin o colpi senza effetto con il diritto lungo la linea e mettere la palla in profondità sul campo. Il tuo partner o allenatore dovrebbe colpire restituendo un rovescio lungo la linea verso di te. Il tuo obiettivo è quello di raggiungere un minimo di 20 palle colpite avanti e indietro senza perderle. Se si perde si deve ricominciare da zero. Continua fino a quando si colpiscono 20 palline utilizzando questo modello. Sono ammessi i colpi senza effetto, ma questo esercizio è più efficace se fatto con top spin.

Oltre la corda palleggiare 20 palle da topspin rovescio a diritto a fondo campo (resistenza)

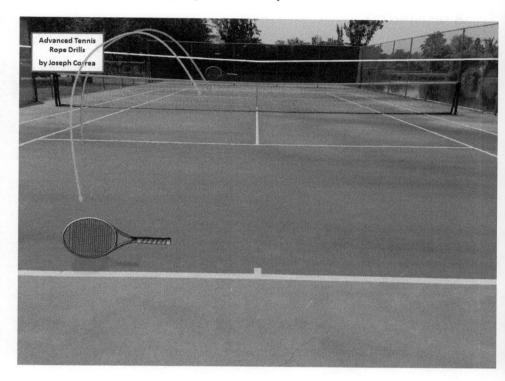

In questo esercizio dovresti colpire oltre la corda con top spin o colpi senza effetto con il rovescio lungo la linea e mettere la palla in profondità sul campo. Il tuo partner o allenatore dovrebbe colpire restituendo un diritto lungo la linea verso di te. Il tuo obiettivo è quello di raggiungere un minimo di 20 palle colpite avanti e indietro senza perderle. Se si perde si deve ricominciare da zero. Continua fino a quando si colpiscono 20 palline utilizzando questo modello. Sono ammessi i colpi senza effetto, ma questo esercizio è più efficace se fatto con top spin.

Oltre la corda palleggiare 20 palle con una persona che colpisce solo diagonali e l'altro solo fondi campo (figura 8 resistenza)

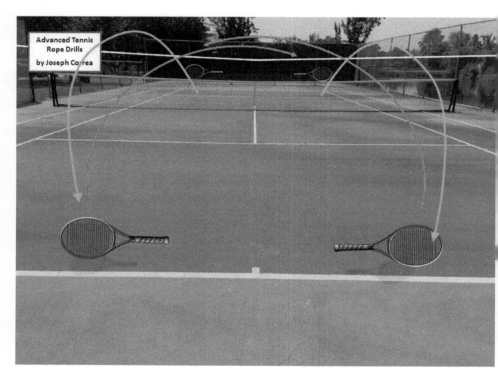

In questo esercizio dovresti colpire oltre la corda con top spin o colpi senza effetto con il diritto in diagonale e mettere la palla in profondità sul campo. Il tuo partner o allenatore dovrebbe colpire restituendo un rovescio lungo la linea verso di te. A questo punto dovresti colpire un rovescio in diagonale e ti sarà restituito un diritto lungo la linea. Questa sequenza deve essere continua. Il tuo obiettivo è quello di raggiungere un minimo di 20 palle colpite avanti e indietro senza perderle. Ogni palla colpita conta come 1. Se si perde si deve ricominciare da zero. Continua fino a quando si colpiscono 20 palline utilizzando questo modello. Sono ammessi i colpi senza effetto, ma questo esercizio è più efficace se fatto con top spin.

Oltre la corda colpire 20 palle con una persona che esegue solo a fondo campo e l'altra che colpisce solo palle diagonali (figura 8 resistenza)

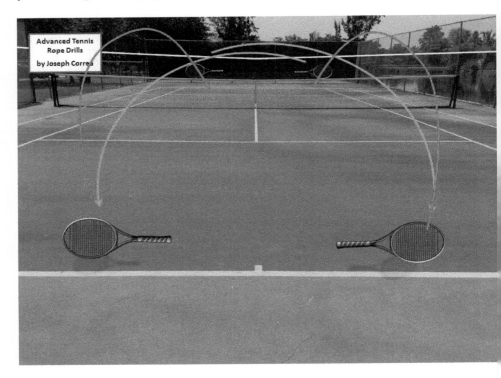

In questo esercizio dovresti colpire oltre la corda con top spin o colpi senza effetto con il diritto lungo la linea e mettere la palla in profondità sul campo. Il tuo partner o allenatore dovrebbe colpire restituendo un rovescio in diagonale. A questo punto dovresti colpire un rovescio lungo la linea e ti sarà restituito un diritto in diagonale. Questa sequenza deve essere continua. Il tuo obiettivo è quello di raggiungere un minimo di 20 palle colpite avanti e indietro senza perderle. Ogni palla colpita conta come 1. Se si perde si deve ricominciare da zero.

Continua fino a quando si colpiscono 20 palline utilizzando questo modello. Sono ammessi i colpi senza effetto, ma questo esercizio è più efficace se fatto con top spin.

ALLENAMENTI SOTTO LA CORDA

Sotto la corda palleggiare 20 palle con diritti in diagonale e diritti

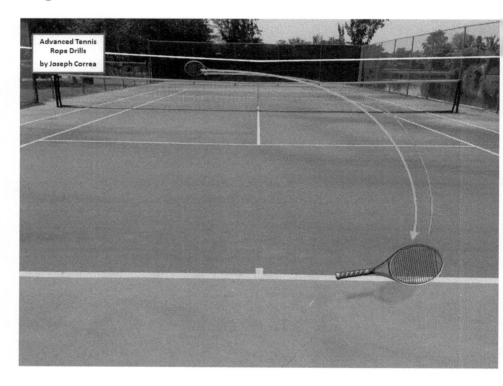

In questo esercizio dovresti colpire sotto la corda con top spin o colpi senza effetto con il diritto in diagonale e mettere la palla in profondità sul campo. Il tuo partner o allenatore dovrebbe colpire restituendo un diritto in diagonale verso di te. Il tuo obiettivo è quello di raggiungere un minimo di 20 palle colpite avanti e indietro senza perderle. Se si perde si deve ricominciare da zero. Continua fino a quando si colpiscono 20 palline

utilizzando questo modello. Sono ammessi i colpi senza effetto, ma questo esercizio è più efficace se fatto con top spin.

Sotto la corda palleggiare 20 palle con rovescio diagonale e rovescio

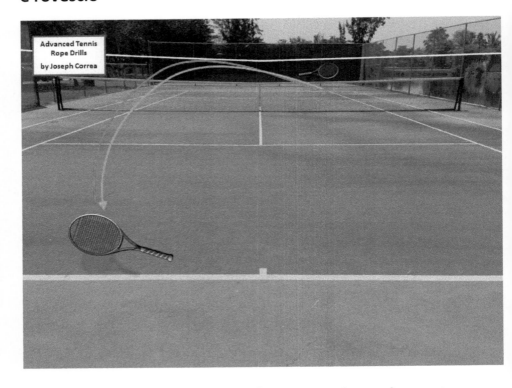

In questo esercizio dovresti colpire sotto la corda con top spin o colpi senza effetto con il rovescio in diagonale e mettere la palla in profondità sul campo. Il tuo partner o allenatore dovrebbe colpire restituendo un rovescio in diagonale verso di te. Il tuo obiettivo è quello di raggiungere un minimo di 20 palle colpite avanti e indietro senza perderle. Se si perde si deve ricominciare da zero. Continua fino a quando si colpiscono 20 palline utilizzando questo modello. Sono ammessi i colpi senza effetto, ma questo esercizio è più efficace se fatto con top spin.

Sotto la corda palleggiare 20 palle con diritti a fondo campo e rovesci

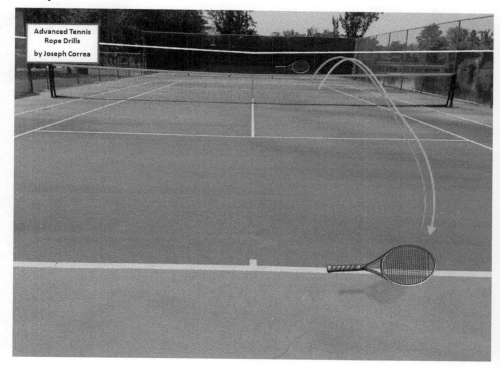

In questo esercizio dovresti colpire sotto la corda con top spin o colpi senza effetto con il diritto lungo la linea e mettere la palla in profondità sul campo. Il tuo partner o allenatore dovrebbe colpire restituendo un rovescio lungo la linea verso di te. Il tuo obiettivo è quello di raggiungere un minimo di 20 palle colpite avanti e indietro senza perderle. Se si perde si deve ricominciare da zero. Continua fino a quando si colpiscono 20 palline utilizzando questo modello. Sono ammessi i colpi senza effetto, ma questo esercizio è più efficace se fatto con top spin.

Sotto la corda palleggiare 20 palle con rovesci e diritti a fondo campo

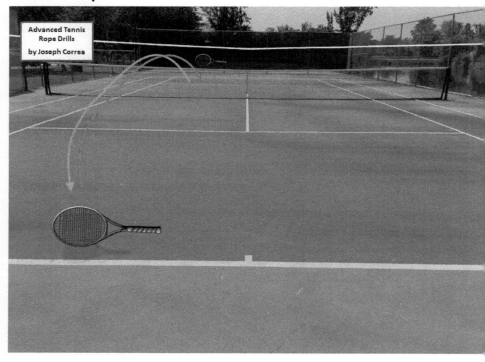

In questo esercizio dovresti colpire sotto la corda con top spin o colpi senza effetto con il rovescio lungo la linea e mettere la palla in profondità sul campo. Il tuo partner o allenatore dovrebbe colpire restituendo un diritto lungo la linea verso di te. Il tuo obiettivo è quello di raggiungere un minimo di 20 palle colpite avanti e indietro senza perderle. Se si perde si deve ricominciare da zero. Continua fino a quando si colpiscono 20 palline utilizzando questo modello. Sono ammessi i colpi senza effetto, ma questo esercizio è più efficace se fatto con top spin.

Sotto la corda palleggiare 20 palle con slice diagonale e rovescio

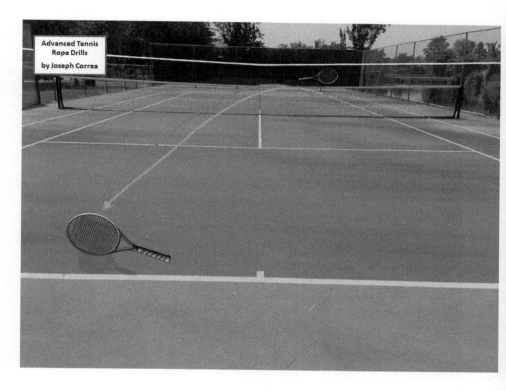

In questo esercizio dovresti colpire sotto la corda con slice con il rovescio in diagonale ed anche il tuo partner o allenatore dovrebbe colpire restituendo uno slice in diagonale. Il tuo obiettivo è quello di raggiungere un minimo di 20 palle colpite avanti e indietro senza perderle. Se si perde si deve ricominciare da zero. Continua fino a quando si colpiscono 20 palline utilizzando questo modello.

Sotto la corda colpire 20 palle con una persona che esegue colpi diagonali e l'altra che colpisce solo a fondo campo come da figura 8

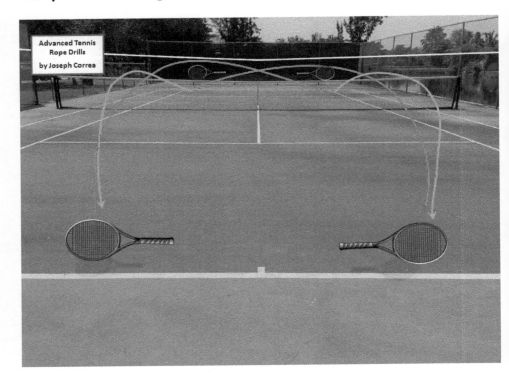

In questo esercizio dovresti colpire sotto la corda con top spin o colpi senza effetto con il diritto in diagonale e mettere la palla in profondità sul campo. Il tuo partner o allenatore dovrebbe colpire restituendo un rovescio lungo la linea verso di te. A questo punto dovresti colpire un rovescio in diagonale e ti sarà restituito un diritto lungo la linea. Questa sequenza deve essere continua. Il tuo obiettivo è quello di raggiungere un minimo di 20 palle colpite avanti e indietro senza perderle. Ogni palla colpita conta come 1. Se si perde si deve ricominciare da zero. Continua fino a quando si colpiscono 20 palline utilizzando questo modello. Sono ammessi i colpi senza effetto, ma questo esercizio è più efficace se fatto con top spin.

Sotto la corda colpire 20 palle con una persona che
esegue solo colpi a fondo campo e l'altra che colpisce in
diagonale come da figura 8

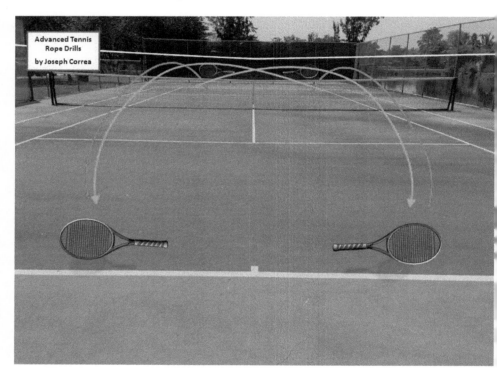

In questo esercizio dovresti colpire sotto la corda con top
spin o colpi senza effetto con il diritto lungo la linea e
mettere la palla in profondità sul campo. Il tuo partner o
allenatore dovrebbe colpire restituendo un rovescio in
diagonale. A questo punto dovresti colpire un rovescio
lungo la linea e ti sarà restituito un diritto in diagonale.
Questa sequenza deve essere continua. Il tuo obiettivo è
quello di raggiungere un minimo di 20 palle colpite
avanti e indietro senza perderle. Ogni palla colpita conta
come 1. Se si perde si deve ricominciare da zero.

Continua fino a quando si colpiscono 20 palline utilizzando questo modello. Sono ammessi i colpi senza effetto, ma questo esercizio è più efficace se fatto con top spin.

ALLENAMENTI SOPRA E SOTTO LA CORDA

Una persona colpisce diritti sopra la corda con topspin e l'altra colpisce diritti in diagonale sotto la corda.

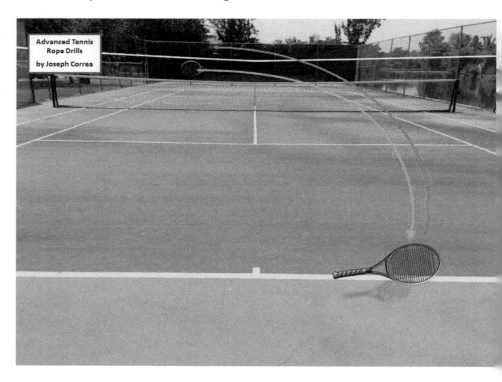

In questo esercizio dovresti colpire sopra la corda con top spin o colpi senza effetto con il diritto in diagonale e mettere la palla in profondità sul campo. Il tuo partner o allenatore dovrebbe colpire restituendo un diritto in diagonale sotto la corda. Il tuo obiettivo è quello di raggiungere un minimo di 20 palle colpite avanti e indietro senza perderle. Se si perde si deve ricominciare da zero. Continua fino a quando si colpiscono 20 palline utilizzando questo modello. Sono ammessi i colpi senza effetto, ma questo esercizio è più efficace se fatto con top spin.

Una persona colpisce rovesci oltre la corda con topspin e l'altra esegue rovesci in diagonale sotto la corda

In questo esercizio dovresti colpire sotto la corda con top spin o colpi senza effetto con il rovescio in diagonale e mettere la palla in profondità sul campo. Il tuo partner o allenatore dovrebbe colpire restituendo un rovescio in diagonale sotto la corda. Il tuo obiettivo è quello di raggiungere un minimo di 20 palle colpite avanti e indietro senza perderle. Se si perde si deve ricominciare da zero. Continua fino a quando si colpiscono 20 palline utilizzando questo modello. Sono ammessi i colpi senza effetto, ma questo esercizio è più efficace se fatto con top spin.

Una persona colpisce diritti sopra la corda con topspin e l'altra esegue rovesci a fondo campo sotto la corda

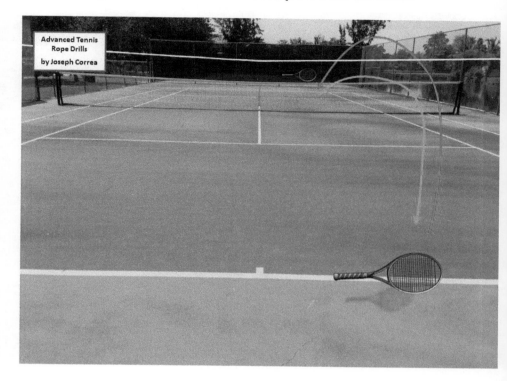

In questo esercizio dovresti colpire oltre la corda con top spin o colpi senza effetto con il diritto lungo la linea e mettere la palla in profondità sul campo. Il tuo partner o allenatore dovrebbe colpire restituendo un rovescio lungo la linea sotto la corda. Il tuo obiettivo è quello di raggiungere un minimo di 20 palle colpite avanti e indietro senza perderle. Se si perde si deve ricominciare da zero. Continua fino a quando si colpiscono 20 palline utilizzando questo modello. Sono ammessi i colpi senza effetto, ma questo esercizio è più efficace se fatto con top spin.

Una persona colpisce rovesci con topspin sopra la rete e l'altra esegue diritti a fondo campo sotto la corda

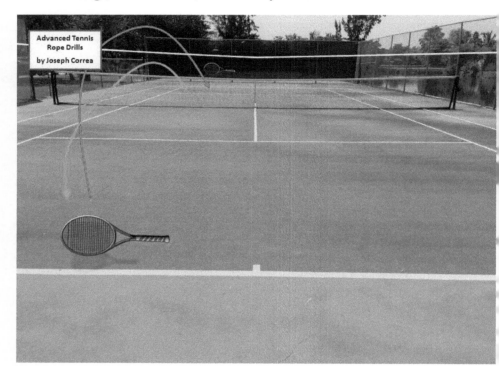

In questo esercizio dovresti colpire oltre la corda con top spin o colpi senza effetto con il rovescio lungo la linea e mettere la palla in profondità sul campo. Il tuo partner o allenatore dovrebbe colpire restituendo un diritto lungo la linea sotto la corda. Il tuo obiettivo è quello di raggiungere un minimo di 20 palle colpite avanti e indietro senza perderle. Se si perde si deve ricominciare da zero. Continua fino a quando si colpiscono 20 palline utilizzando questo modello. Sono ammessi i colpi senza effetto, ma questo esercizio è più efficace se fatto con top spin.

Una persona colpisce rovesci con topspin oltre la corda mentre l'altra esegue slice rovesci a fondo campo sotto la corda.

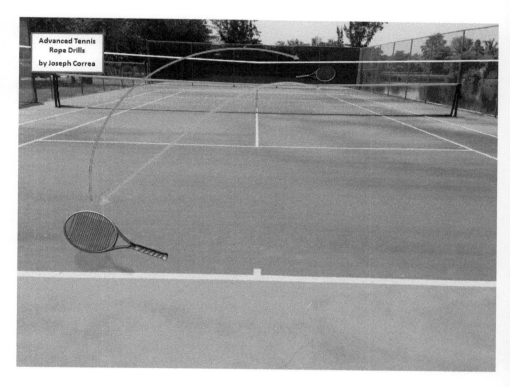

In questo esercizio dovresti colpire oltre la corda con top spin o colpi senza effetto con il rovescio in diagonale e mettere la palla in profondità sul campo. Il tuo partner o allenatore dovrebbe colpire restituendo uno slice sotto la corda. Il tuo obiettivo è quello di raggiungere un minimo di 20 palle colpite avanti e indietro senza perderle. Se si perde si deve ricominciare da zero. Continua fino a quando si colpiscono 20 palline utilizzando questo modello. Sono ammessi i colpi senza effetto, ma questo esercizio è più efficace se fatto con top spin.

Una persona colpisce diritti con topspin oltre la corda mentre l'altra esegue diritti in diagonale sotto la corda

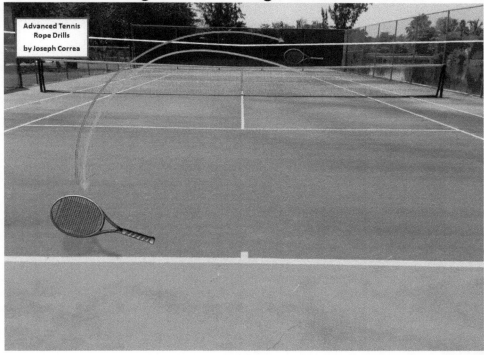

In questo esercizio dovresti colpire sopra la corda con top spin o colpi senza effetto con il diritto in diagonale da un'angolazione da rovescio e mettere la palla in profondità. Il tuo partner o allenatore dovrebbe colpire restituendo un diritto in diagonale sotto la corda. Il tuo obiettivo è quello di raggiungere un minimo di 20 palle colpite avanti e indietro senza perderle. Se si perde si deve ricominciare da zero. Continua fino a quando si colpiscono 20 palline utilizzando questo modello. Sono ammessi i colpi senza effetto, ma questo esercizio è più efficace se fatto con top spin.

CAPITOLO 8: ALLENAMENTO A PUNTI

Fino a 10 punti sopra la corda senza servire

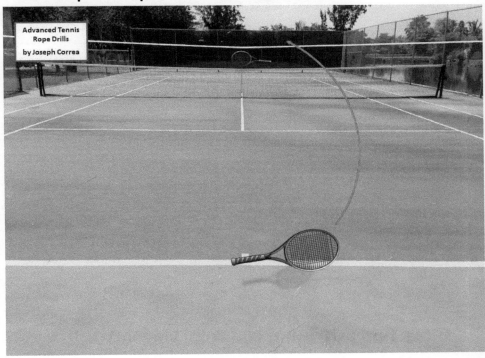

Gioca fino a 10 punti con colpi vincenti raggiungendo 10 tiri solo oltre la corda

Fino a 10 punti solo sotto la corda senza servizio

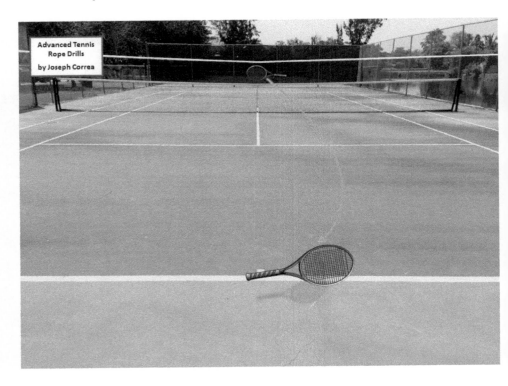

Gioca fino a 10 punti con colpi vincenti raggiungendo 10 tiri solo sotto la corda

Fino a 10 punti dove una persona può solamente colpire sopra la corda mentre l'altra può colpire solamente sotto la corda senza servire

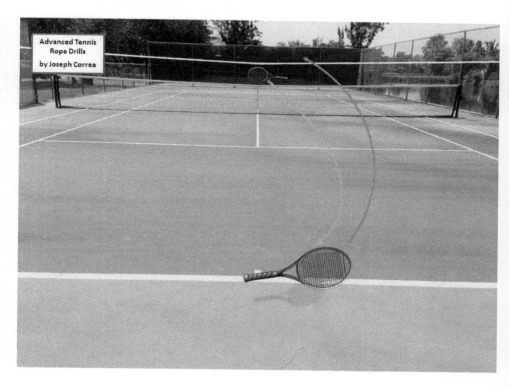

Gioca fino a 10 punti con colpi vincenti raggiungendo 10 tiri dove tu puoi colpire solo sopra la corda ed il tuo avversario solo sotto la corda.

Fino a 10 punti (con servizio) sopra la corda (servire sempre al di sotto della corda a meno che non si stia eseguendo un topspin o un servizio in kick)

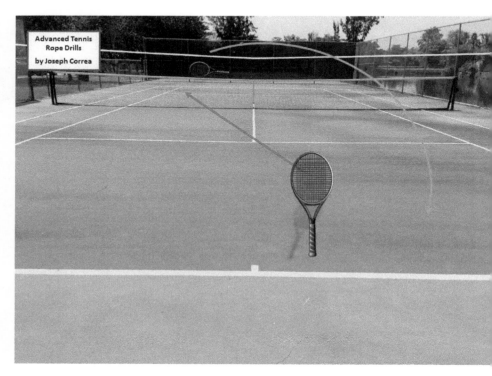

Gioca fino a 10 punti con colpi vincenti raggiungendo 10 tiri dove tu puoi colpire solo sopra la corda ed iniziando con un servizio sempre sotto la corda.

Fino a 10 punti (con servizio) sotto la corda (servire sempre al di sotto della corda a meno che non si stia eseguendo un topspin o un servizio in kick)

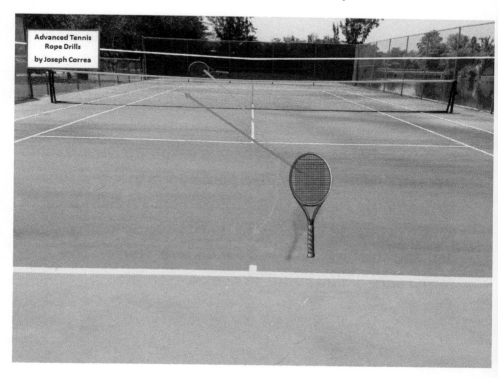

Gioca fino a 10 punti con colpi vincenti raggiungendo 10 tiri dove tu puoi colpire solo sotto la corda ed iniziando con un servizio sempre sotto la corda.

CAPITOLO 9: ESERCITAZIONE CON PUNTI NORMALI SENZA LA CORDA

37. Raggiungi I 10 punti senza servire eseguendo solo diritti in diagonale

Passa la pallina all'avversario verso il suo diritto e gioca il punto solo in diagonale e fatelo entrambi in modo incrociato finchè uno dei due vince il punto con un colpo a segno oppure uno dei due perde e tira in rete o fuori. Ricordati che se uno o entrambi è mancino siete pregati di fare le dovute correzioni a questo esercizio. La prima persona che raggiunge I 10 punti vince. Non ci sono "differenze di due punti" in questo esercizio.

38. Raggiungi I 10 punti senza servire eseguendo solo rovesci in diagonale

Passa la pallina all'avversario verso il suo rovescio e gioca il punto solo in diagonale e fatelo entrambi in modo incrociato finché uno dei due vince il punto con un colpo a segno oppure uno dei due perde e tira in rete o fuori. Ricordati che se uno o entrambi è mancino siete pregati di fare le dovute correzioni a questo esercizio. La prima persona che raggiunge I 10 punti vince. Non ci sono "differenze di due punti" in questo esercizio.

39. Raggiungi I 10 punti senza servire eseguendo solo rovesci verso diritti lungo la linea

Passa la pallina all'avversario verso il suo diritto e gioca il punto solo lungo la linea e fatelo entrambi finché uno dei due vince il punto con un colpo a segno oppure uno dei due perde e tira in rete o fuori. Ricordati che se uno o entrambi è mancino siete pregati di fare le dovute correzioni a questo esercizio. La prima persona che raggiunge I 10 punti vince. Non ci sono "differenze di due punti" in questo esercizio.

40. Raggiungi I 10 punti senza servire eseguendo solo diritti verso rovesci lungo la linea

Passa la pallina all'avversario verso il suo rovescio e gioca il punto solo lungo la linea e fatelo entrambi finché uno dei due vince il punto con un colpo a segno oppure uno dei due perde e tira in rete o fuori. Ricordati che se uno o entrambi è mancino siete pregati di fare le dovute correzioni a questo esercizio. La prima persona che raggiunge I 10 punti vince. Non ci sono "differenze di due punti" in questo esercizio.

41. Raggiungi I 10 punti servendo solamente diritti in diagonale

Servi la pallina con un diritto e gioca il punto solo in diagonale e fatelo entrambi in diagonale finché uno dei due vince il punto con un colpo a segno oppure uno dei due perde e tira in rete o fuori. Ricordati che se uno o entrambi è mancino siete pregati di fare le dovute correzioni a questo esercizio. La prima persona che raggiunge I 10 punti vince. Non ci sono "differenze di due punti" in questo esercizio.

42. Raggiungi I 10 punti servendo solo rovesci in diagonale

Servi la pallina con un rovescio e gioca il punto solo in diagonale e fatelo entrambi in diagonale finché uno dei due vince il punto con un colpo a segno oppure uno dei due perde e tira in rete o fuori. Ricordati che se uno o entrambi è mancino siete pregati di fare le dovute correzioni a questo esercizio. La prima persona che raggiunge I 10 punti vince. Non ci sono "differenze di due punti" in questo esercizio.

43. Raggiungi I 10 punti servendo solo rovesci lungo la linea verso diritti

Servi la pallina al tuo avversario verso il suo diritto e gioca il punto solo lungo la linea finché uno dei due vince il punto con un colpo a segno oppure uno dei due perde e tira in rete o fuori. Ricordati che se uno o entrambi è mancino siete pregati di fare le dovute correzioni a questo esercizio. La prima persona che raggiunge I 10 punti vince. Non ci sono "differenze di due punti" in questo esercizio.

44. Raggiungi I 10 punti servendo solo diritti lungo la linea verso rovesci

Servi la pallina a tuo avversario verso il suo rovescio e quindi gioca il punto solo lungo la linea finché uno dei due vince il punto con un colpo a segno oppure uno dei due perde e tira in rete o fuori. Ricordati che se uno o entrambi è mancino siete pregati di fare le dovute correzioni a questo esercizio. La prima persona che raggiunge I 10 punti vince. Non ci sono "differenze di due punti" in questo esercizio.

45. Raggiungi I 10 punti dove una persona può tirare solo colpi in diagonale e l'altra solo colpi lungo la linea senza servizio

Passa la palla al tuo avversario per consentirgli di eseguire un diritto e quindi gioca il punto solo lungo la linea e continua sempre lungo la linea finché uno dei due vince il punto con un colpo a segno oppure uno dei due perde e tira in rete o fuori. Ricordati che se uno o entrambi è mancino siete pregati di fare le dovute correzioni a questo esercizio. La prima persona che raggiunge I 10 punti vince. Non ci sono "differenze di due punti" in questo esercizio.

46. Raggiungi I 10 punti dove una persona può tirare solo colpi lungo la linea e l'altra solo colpi in diagonale senza servizio

Passa la palla al tuo avversario per consentirgli di eseguire un diritto e quindi gioca il punto solo in diagonale e continua sempre in diagonale finché uno dei due vince il punto con un colpo a segno oppure uno dei due perde e tira in rete o fuori. Ricordati che se uno o entrambi è mancino siete pregati di fare le dovute correzioni a questo esercizio. La prima persona che raggiunge I 10 punti vince. Non ci sono "differenze di due punti" in questo esercizio.

47. Raggiungi I 10 punti dove una persona può tirare solo colpi in diagonale e l'altra solo colpi lungo la linea con servizio

Servi la palla al tuo avversario e quindi gioca il punto solo in diagonale mentre il tuo partner colpirà la palla pungo la linea come per creare la figura 8. Mantieni la palla in gioco finché uno dei due vince il punto con un colpo a segno oppure uno dei due perde e tira in rete o fuori. Ricordati che se uno o entrambi è mancino siete pregati di fare le dovute correzioni a questo esercizio. La prima persona che raggiunge I 10 punti vince. Non ci sono "differenze di due punti" in questo esercizio.

48. Raggiungi I 10 punti dove una persona può tirare solo colpi lungo la linea e l'altra solo colpi in diagonale con servizio

Servi la palla al tuo avversario e quindi gioca il punto in diagonale mentre il tuo partner colpirà solo lungo la linea come per creare la figura 8. Mantieni la palla in gioco finché uno dei due vince il punto con un colpo a segno oppure uno dei due perde e tira in rete o fuori. Ricordati che se uno o entrambi è mancino siete pregati di fare le dovute correzioni a questo esercizio. La prima persona che raggiunge I 10 punti vince. Non ci sono "differenze di due punti" in questo esercizio.

49. Raggiungi I 10 punti senza servizio. Concludi punti normali senza nessuno schema.

Passa la palla verso il tuo avversario e quindi giocatevi il punto in modo normale senza schemi prefissati. Mantieni la palla in gioco finché uno dei due vince il punto con un colpo a segno oppure uno dei due perde e tira in rete o fuori. Ricordati che se uno o entrambi è mancino siete pregati di fare le dovute correzioni a questo esercizio. La prima persona che raggiunge I 10 punti vince. Non ci sono "differenze di due punti" in questo esercizio.

50. Raggiungi I 10 punti con servizio. Concludi punti normali senza nessuno schema.

Servi la palla al tuo avversario e giocate il punto senza nessuno schema preimpostato. Tieni la palla in gioco finché uno dei due vince il punto con un colpo a segno oppure uno dei due perde e tira in rete o fuori. Ricordati che se uno o entrambi è mancino siete pregati di fare le dovute correzioni a questo esercizio. La prima persona che raggiunge I 10 punti vince. Non ci sono "differenze di due punti" in questo esercizio

51. Gioca un set completo servendo solo in diagonale mentre il tuo partner colpisce solo lungo la linea.

52. Gioca un set completo servendo solo lungo la linea mentre il tuo partner colpisce solo in diagonale.

53. Gioca un set completo utilizzando lo schema che più desideri.

54. Gioca una partita completo utilizzando lo schema che più desideri.

ALTRI TITOLI DI JOSEPH CORREA

Programma di allenamento per un grande servizio nel Tennis

Questo DVD vi insegnerà come servire 10-20 mph più velocemente in un programma di tre mesi, giorno per giorno. Il miglior programma di allenamento per servizi presente sul mercato. Il video include un programma di formazione grafico da 3 mesi e un manuale passo passo. Il DVD mostra come fare gli esercizi correttamente le modalità con le quali si dovrebbero eseguire per avere successo con il programma.

Joseph Correa è un giocatore di tennis professionista e allenatore che ha gareggiato e insegnato in tutto il mondo in tornei ATP e ITF per molti anni. Oltre ad essere un giocatore di tennis professionista, ha una certificazione USPTR di coaching professionale ed una certificazione ITF di coaching per bambini.

Le 33 leggi del Tennis

Le 33 leggi del Tennis è un libro pieno di concetti del tennis preziosi per aiutarti a diventare un giocatore di tennis migliore e più preparato. Questo libro è stato scritto da un giocatore di tennis professionista e allenatore degli Stati Uniti. E 'un libro molto utile che sarà indispensabile e quando meno te lo aspetti ti ricorderà tante piccole ma importanti cose prima di gareggiare.

Il lavoro dei piedi ed Il Cardio nel Tennis di Joseph Correa

Joseph Correa è un giocatore di tennis professionista e allenatore che ha gareggiato e insegnato in tutto il mondo in tornei ATP e ITF per molti anni. Oltre ad essere un giocatore di tennis professionista, ha una certificazione USPTR di coaching professionale ed una certificazione ITF di coaching per bambini.

Per essere più in forma e migliorare la tua mobilità dentro e fuori dal campo da tennis. Un buon lavoro del piede ti migliorerà drasticamente sia rafforzando il tuo cuore sia la parte superiore del corpo. Vedere questo video vale sicuramente la pena per un giocatore di tennis serio, non importa quale sia il tuo livello. Diventerai più veloce, più forte e più agile, e in campo noterai un aumento di accelerazione nel servizio e nelle palle ribattute. Creato da un giocatore di tennis professionista per gli altri per progredire nel loro gioco e vincere più partite.

Lo Yoga nel Tennis di Joseph Correa

Yoga Tennis di Joseph Correa è un ottimo modo per aumentare la tua flessibilità e agilità nel campo. Raggiungi più palle e con un minor numero di infortuni. E 'un ottimo modo per vincere di più, lavorando su una parte diversa del tuo gioco. Il DVD dura circa 30 minuti. Utilizzato da tennisti dilettanti e professionisti per migliorare il loro gioco e durare più a lungo nelle partite. Questo è il modo migliore per un giocatore di tennis a diventare più flessibile e sbarazzarsi di comuni mal di schiena, ginocchio, spalla, tendine del ginocchio, polpaccio, e lesioni al quadricipite. Sarai entusiasta di iniziare! Questa è una versione migliorata del nostro MBS Yoga Tennis 2012.

Addominali nel Tennis di Joseph Correa

Fare esercizi addominali nel Tennis è un grande metodo per migliorare il tuo stato fisico per avere servizi più potenti, diritti e rovesci così come potenti volée. Gli addominali sono la chiave per un gioco migliore. Questo DVD lavora su molti tipi di esercizi di piegamenti, su e giù, e addominali laterali e posteriori che potrai trovare in altri video di addominali. Prendi confidenza quando ti cambi la maglietta durante la partita e colpisci la palla più duramente!

www.ingramcontent.com/pod-product-compliance
Ingram Content Group UK Ltd.
Pitfield, Milton Keynes, MK11 3LW, UK
UKHW032132161224
452675UK00017B/2069